Guide pratique
de conversation

ESPAGNOL/LATINO-AMÉRICAIN

D1538269

Collection dirigée par
Guillaume de La Rocque

Pierre Ravier   Werner Reuther

Guide pratique
de conversation
pour tous ceux qui voyagent

Traduction de
Monique Lailhacar

ESPAGNOL/LATINO-AMÉRICAIN

Le Livre de Poche

Sommaire

Comment utiliser ce guide

Ce guide de conversation est destiné à toutes les personnes désirant se rendre en **ESPAGNE** ou en **AMÉRIQUE LATINE** et qui ne maîtrisent pas la langue espagnole.

Il a été conçu de façon à faciliter les relations essentielles de la vie quotidienne. Plusieurs milliers de mots, de phrases et de formes syntaxiques permettront au lecteur de s'exprimer dans la plupart des cas susceptibles de se présenter à lui au cours de son voyage.

L'ouvrage comprend six parties

Un bref rappel géographique et historique.

Un abrégé de grammaire précisant quelques règles de la langue espagnole.

Un code de prononciation facilement utilisable et sans lequel le lecteur de ce guide risquerait de ne pas toujours être compris par ses interlocuteurs.

Un guide pratique d'utilisation de la langue constitué de cinquante-deux chapitres, présentés dans l'ordre alphabétique.

Nous avons délibérément choisi l'ordre alphabétique, le classement le plus simple, car il permet de trouver immédiatement une réponse à une situation donnée.

Un lexique de plus de deux mille mots.

Un index facilitant la recherche des rubriques.

Exemple d'utilisation du manuel

Le lecteur désire acheter un costume :

1. Il pourra trouver le mot dans le *lexique*.

2. Il pourra consulter le *chapitre* « Habillement » situé dans l'ordre alphabétique à la lettre « H ». Si le mot

« habillement » ne lui vient pas immédiatement à l'esprit, le lecteur trouvera également le renvoi à cette rubrique dans l'*index,* aux mots « vêtements » et « prêt-à-porter ».

La consultation de la rubrique « Habillement » présente l'avantage par rapport au lexique, de faciliter la formulation de la demande par l'emploi de phrases et de mots complémentaires figurant en ordre alphabétique aux paragraphes « L'indispensable », « En situation », et dans le vocabulaire de l'« Habillement ». Le lecteur sera ainsi immédiatement en mesure de nommer le « pantalon », la « veste », le « tissu », la « couleur »... et de formuler ses observations et ses demandes : « Je voudrais un costume coupé suivant ce modèle », « Auriez-vous le même modèle dans une autre couleur ? », « Il faudrait raccourcir les manches », « Pourriez-vous me montrer autre chose ? », « Puis-je essayer ? », « Cela me convient », « Acceptez-vous les chèques de voyage ? », etc.

Certains chapitres ont été particulièrement développés afin d'apporter une aide maximale au voyageur dans les domaines importants que sont la santé, la voiture et... les loisirs.

Bref rappel géographique et historique

ESPAGNE

Superficie : 504 800 km².
Population : 39 000 000 habitants.
Capitale : Madrid (3 900 000 habitants).

Aspect physique

Plateaux et montagnes occupent environ les deux tiers de la péninsule.

La Meseta, vaste plateau central assez élevé, comprend, dans sa partie nord, les plateaux de la Vieille-Castille et dans sa partie sud, les plateaux de la Nouvelle-Castille. L'altitude de ces terrains primaires varie entre 600 et 1 000 mètres. La Vieille et la Nouvelle-Castille sont séparées par la Cordillère centrale, constituée par les sierras de Gredos et de Guadarrama (c'est au sud de cette dernière que se situe Madrid). Au nord-ouest de la Meseta, la cordillère Cantabrique prolonge les Pyrénées, et la cordillère Ibérique borde le plateau au nord et à l'est. Les limites ouest et sud de la Meseta sont formées par les monts de Tolède et la sierra Morena. Au nord de la vallée de l'Èbre, les Pyrénées séparent l'Espagne de la France. Au sud de la dépression du Guadalquivir et longeant la Méditerranée, la cordillère Bétique atteint l'altitude de 3 481 mètres dans la sierra Nevada au mont Mulhacén.

La population est plus dense dans les plaines du pourtour que dans l'intérieur. Ces plaines, en général étroites, sont : la plaine de l'Èbre, la plaine de Valence et de Murcie, et la plaine d'Andalousie.

Principaux fleuves :

— L'Èbre *(Ebro)* : il naît dans la cordillère Cantabrique, coule entre les Pyrénées et la cordillère Ibérique et se jette dans la Méditerranée.

— Le Douro *(Duero)* : il naît dans les monts Ibériques, traverse l'Espagne d'est en ouest, le Portugal, et se jette dans l'Atlantique, à Porto.

— Le Tage *(Tajo)* : il naît dans les monts Ibériques, traverse l'Espagne et le Portugal, et débouche à Lisbonne.

— Le Guadiana : il naît dans la Meseta et se jette dans l'Atlantique.

— Le Guadalquivir au sud : il naît dans la cordillère Bétique et se jette dans l'Atlantique.

Les îles : les Baléares en Méditerranée et les Canaries dans l'Atlantique situées à une centaine de kilomètres de la côte africaine.

Les grandes provinces : Asturies, Pays Basque, Navarre, Aragon, Catalogne, Galice, Castille et Andalousie. Chacune conserve ses particularités et son particularisme.

Les grandes villes : citons Madrid, la capitale, Barcelone, capitale de la Catalogne (port principal de l'Espagne, sur la Méditerranée), Valence, Alicante et Málaga sur les côtes est et sud, Saragosse sur l'Èbre, Bilbao, capitale de la province de Biscaye, Tolède sur le Tage, Cordoue (Córdoba) et Séville sur le Guadalquivir.

Climat

— Climat continental au centre (Meseta) : hivers rigoureux, étés chauds et secs.

— Climat méditerranéen sur les côtes orientale et méridionale : peu ou pas d'hiver.

— Climat atlantique dans la région cantabrique.

La majeure partie de l'Espagne reçoit des pluies à peine suffisantes et au débit assez irrégulier.

Le relief et le climat donnent à l'Espagne une très grande variété de paysages :

— Au nord, l'Espagne humide et verte des prairies, des champs bordés d'arbres, des vallées, des montagnes et des collines.

— Au centre, dans la Meseta, ce sont des espaces souvent désertiques mais qui laissent place à une exploitation céréalière assez développée. Les chaînes de montagnes qui bordent et traversent cet immense plateau donnent parfois au paysage un aspect qui rappelle la région humide du nord.

— A l'est et vers le sud, sur le littoral, le climat méditerranéen devient de plus en plus africain. Région de cultures pratiquées en jardins irrigués appelés *huertas*.

Quelques données économiques

Pour le Produit national brut (P.N.B.), l'Espagne se situe au quatorzième rang mondial et pour le P.N.B. par habitant au cinquante-septième.

Le secteur agricole occupe une part très importante de la population active – 18 p. 100, mais il ne contribue que pour 6 p. 100 au produit national brut. Principales productions : céréales, vins, olives, agrumes.

Le secteur industriel et minier occupe 34 p. 100 de la population active. L'industrie espagnole est principalement développée en Catalogne et en Asturies. Les mines de mercure d'Almadén, dans la sierra Morena, sont parmi les plus riches du monde.

Le tourisme représente un important apport de devises.

Repères historiques

Av. J.-C.

Population : les Ibères (d'origine méditerranéenne) et les Celtes.

IIIe-Ier s. Théâtre de la deuxième guerre Punique entre Rome et Carthage.
Victoire des Romains.

Occupation romaine d'une partie de la péninsule et développement économique.

Ap. J.-C.

Ier s. Arrivée du Christianisme.

V^e-VIe s. Invasion et implantation des Suèves, des Vandales et des Wisigoths en provenance de l'Europe du Nord.
Domination wisigothique, capitale : Tolède.

711-719 Invasion et occupation musulmane dans toute la péninsule à l'exception des Asturies.

719-1492 Implantation musulmane et reconquête progressive du territoire successivement par les royaumes en formation de León, Castille, Aragon et Navarre.

929-961 Califat de Cordoue : interpénétration des connaissances orientales et occidentales dans les domaines de la philosophie, des sciences et des arts.
Certains monuments de l'Andalousie en sont les vivants témoignages.

1492 Prise de Grenade par Ferdinand d'Aragon et Isabelle de Castille.
Christophe Colomb découvre l'Amérique.

1516-1556 Règne de Charles V : prédominance de l'Espagne en Europe.

1519-1543 Expansion et consolidation des conquêtes espagnoles sur le continent américain et aux Philippines.

1556-1588 Règne de Philippe II.
Début du « Siècle d'or » : afflux important des richesses des colonies et stagnation interne du pays. Retour à l'austérité dans le domaine artistique (l'Escurial).

1571 Bataille de Lépante : victoire sur les Turcs (Cervantès prisonnier des Turcs).

1588 Défaite et destruction de l'Invincible Armada devant la flotte anglaise.

1618-1648 Guerre européenne de 30 ans.
Fin de la puissance espagnole en Europe.
Traité de Westphalie.
Indépendance des Pays-Bas.

1659 Traité des Pyrénées : fin de la guerre contre la France.

1667-1668 Guerre de Dévolution entre l'Espagne et la France (l'Espagne perd la Franche-Comté et ses places fortes en Belgique).

1702-1714 Guerre de Succession d'Espagne terminée par la Paix d'Utrecht (perte de Gibraltar, de Minorque, du Luxembourg, des Flandres, de la Sicile et de la Sardaigne).
Philippe V, roi d'Espagne.

1804 Napoléon empereur.
Rapprochement franco-espagnol.
Appui de l'Espagne à la France dans sa guerre contre l'Angleterre.
Défaite de Trafalgar.

1808-1814 Guerre d'Indépendance contre l'occupation française (victoire de Bailén).

1813 Début de la Guerre d'Indépendance dans les colonies espagnoles d'Amérique.

1823 Déclaration de l'Américain Monroe sur les droits à l'auto-détermination des peuples à l'occasion des soulèvements dans les colonies espagnoles.

1833-1873 Trois guerres « carlistes » entre royalistes carlistes (partisans de Don Carlos de Bourbon opposés à la régente Christine), royalistes libéraux et libéraux.

1873 Première proclamation de la République.

1874 Restauration des Bourbons : Alphonse XII.

1898 Guerre entre l'Espagne et les États-Unis : fin de l'Empire colonial espagnol (perte de Cuba et des Philippines).

1914-1918 Neutralité de l'Espagne.
Grave mécontentement populaire en 1917 (nombreuses grèves, répression sévère).

1923 Dictature du général Miguel Primo de Rivera.

1931 Pouvoir républicain dans plusieurs villes et en Catalogne.
Alphonse XIII quitte l'Espagne.

Fév. 1936 Le Front populaire vainqueur aux élections.
Réaction de la droite.

Juil. 1936 Début de la Guerre civile espagnole.

1939 Accession du général Franco au pouvoir.

1975 Mort du général Franco.
Avènement du roi Juan Carlos Ier de Bourbon.

1978 Nouvelle Constitution : l'Espagne devient une monarchie, démocratique et pluraliste à régime parlementaire.

AMÉRIQUE LATINE

Superficie : 22 000 000 km².
Population : 350 000 000 habitants

On entend par Amérique latine les pays de l'Amérique du Sud et de l'Amérique centrale plus le Mexique, qui ont été des colonies espagnoles ou portugaises (Brésil).

Ils se répartissent en trois zones :

1. L'Amérique du Nord à laquelle appartiennent les trois quarts du Mexique.

2. L'Amérique centrale, délimitée au nord par l'isthme de Tehuantepec (Mexique) et au sud par le golfe de Darien (Panama). C'est une suite d'isthmes qui relient l'Amérique du Nord à l'Amérique du Sud. Elle est traversée par le canal de Panama (les Antilles en font partie).

3. L'Amérique du Sud : de la Colombie et du Venezuela à la Terre de Feu. Elle est baignée par trois mers : au nord, la mer des Antilles, à l'est l'océan Atlantique, à l'ouest l'océan Pacifique.

Aspects physiques et climat

Mexique et Amérique centrale

La majeure partie du Mexique est constituée par des plateaux encadrés de chaînes de montagnes qui prolongent les reliefs de l'ouest des États-Unis. Dans le Mexique central, la sierra Madre occidentale et la sierra Madre orientale se rejoignent formant la limite sud des plateaux. C'est une zone volcanique importante (Popocatepetl, 5 452 m). Le Mexique méridional se caractérise par une chaîne montagneuse dépassant rarement 2 000 m, et un bas plateau calcaire, le Yucatán. Le nord du pays, sec et désertique, subit de grands écarts de température.

Au sud du tropique du Cancer commence la zone tropicale avec les terres chaudes au-dessous de 1 000 m, les terres tempérées de 1 000 à 2 000 m et les terres froides au-dessus de 2 000 m. Ce climat est aussi celui de la partie continentale de l'Amérique centrale constituée essentiellement par des montagnes volcaniques et des plaines souvent marécageuses.

Amérique du Sud

Étendue : 17 850 000 km², près de deux fois l'étendue de l'Europe.

A l'ouest : la cordillère des Andes, immense chaîne côtière qui prolonge les Montagnes Rocheuses et s'étend sur 8 500 km jusqu'à la Terre de Feu. Ses chaînons parallèles entourent de vastes hauts plateaux. L'Aconcagua, situé à la limite entre le Chili et l'Argentine, atteint 6 959 m et constitue le point culminant de tout le continent américain.

Au centre : les grandes plaines basses (Amazonie, Chaco, Pampa).

A l'est : les hauts plateaux de 800 à 1 000 m d'altitude (plateau des Guyanes, plateau du Brésil).

Traversée par l'Équateur, l'Amérique du Sud a plus de la moitié de sa surface comprise dans la zone tropicale. Elle a donc un climat chaud et humide. Il faut néanmoins distinguer les régions andines avec leurs zones chaudes, tempérées et froides, suivant l'altitude et la partie sud de l'Amérique du Sud (Uruguay, Argentine, Chili), où le climat subtropical au nord devient tempéré vers le Rio de la Plata, et froid en Patagonie (comparable au climat de l'Europe centrale et septentrionale).

Principaux fleuves :

— L'Amazone *(Amazonas)* : deuxième fleuve du monde par sa longueur, premier par son débit, il prend sa source dans les Andes à 190 km du Pacifique et se jette dans l'Atlantique après un parcours de 6 800 km.

— L'Orénoque *(Orinoco)* : 2 160 km, il se jette dans l'Atlantique, au Venezuela.

— L'Uruguay et le Paraná qui forment le Rio de la Plata, dont l'embouchure, entre l'Argentine et l'Uruguay, atteint près de 300 km.

Il faut noter la grande diversité qui caractérise l'Amérique latine tant en ce qui concerne les climats (toutes les nuances terrestres y sont représentées), qu'en ce qui concerne les régions, les pays et les hommes.

Les grandes villes : citons parmi les grandes villes d'Amérique latine :
— Mexico (Mexique) : 15 000 000 habitants
— São Paulo (Brésil) : 12 000 000 habitants
— Buenos Aires (Argentine) : 9 000 000 habitants
— Bogota (Colombie) : 4 500 000 habitants.

La Paz (Bolivie) : la capitale la plus haute du monde (3 630 m).

Quelques données économiques

	P.N.B.	P.N.B. par habitant
Venezuela	36ᵉ du monde	69ᵉ du monde
Mexique	12ᵉ du monde	79ᵉ du monde
Argentine	28ᵉ du monde	80ᵉ du monde
Brésil	10ᵉ du monde	95ᵉ du monde
Chili	59ᵉ du monde	96ᵉ du monde
Colombie	42ᵉ du monde	101ᵉ du monde
Equateur	66ᵉ du monde	107ᵉ du monde
Pérou	60ᵉ du monde	123ᵉ du monde
Bolivie	99ᵉ du monde	151ᵉ du monde

Les réserves du sous-sol de l'Amérique latine sont considérables et encore peu exploitées par rapport à leur potentiel.

L'agriculture et l'élevage sont très inégalement répartis. Il existe un contraste important entre les grandes zones désertiques (zone côtière et sud du Pérou, nord du Chili) et les zones fertiles (pampa, llanos).

Sur le plan industriel, c'est le Brésil (pays de langue portugaise) qui tient la première place (industrie lourde et de transformation).

Repères historiques

Av. 1492 Civilisations précolombiennes :

Amérique du Sud :
— Chavín : 700 av J.-C. à 100 ap. J.-C. (nord du Pérou actuel),
— Mochicas : 300 à 800 ap. J.-C. (nord du Pérou),
— Tiahuanaco : 500 à 1200 ap. J.-C. (Bolivie),
— Incas : 1200 à l'arrivée des Espagnols (Cuzco).

Amérique centrale et Mexique :
— Olmèques : 800 à 100 av. J.-C. (La Venta, Mex.),
— Mayas : 320 à 1500 ap. J.-C. (Sud du Mexique et Guatemala : Tikal),
— Mixtèques/Zapotèques : 1000 ap. J.-C. (Mitla),
— Aztèques : 1325 à l'arrivée des Espagnols (Tenochtitlán).

1492 Christophe Colomb aborde à Haïti.

1494 Traité de Tordesillas : partage des zones de découverte entre les Espagnols et les Portugais.

1521 Hernán Cortés débarque en terre mexicaine.

1531-1536 Francisco Pizarro occupe le Pérou.

1540 Pedro de Valdivia entreprend la conquête du Chili et fonde Santiago en 1541.

XVIe-XVIIIe s. Consolidation du pouvoir espagnol et exploitation des découvertes, malgré les soulèvements indigènes (Tupac Amaru, au Pérou, 1780).

1810 Premiers mouvements de libération menés par les créoles et début du processus d'Indépendance. Principaux chefs de l'Indépendance américaine : Simón Bolívar et Antonio José de Sucre dans le nord.
Bernardo O'Higgins et José de San Martín dans le sud.

1825 Tous les pays latino-américains sont indépendants.

1848 Traité de Guadalupe Hidalgo : le Mexique perd le Texas, la Californie et le Nouveau Mexique, au profit des États-Unis.

1862 Intervention française au Mexique : l'Empereur Maximilien est fusillé en 1867 à Querétaro.

1865-1870 Guerre du Paraguay contre l'Uruguay, le Brésil et l'Argentine. La population du Paraguay y fut décimée.

1879-1883 Guerre du Pacifique : elle oppose le Chili au Pérou et à la Bolivie.

Victoire chilienne : la Bolivie perd son littoral pacifique et le Chili acquiert le territoire d'Atacama.

1910-1920 Révolution mexicaine.

1932-1935 Guerre du Chaco : triomphe du Paraguay sur la Bolivie.

1946-1955 Juan Domingo Perón en Argentine.
Création du « péronisme ».

1959 Fidel Castro renverse la dictature de Batista et s'empare du pouvoir à Cuba.

1971 Début du régime militaire au Chili (renversement du gouvernement d'Allende).

1976 Début du processus militaire en Agentine.

1982 Guerre des Malouines entre l'Argentine et la Grande-Bretagne. Victoire de la Grande-Bretagne qui précipite la chute du régime militaire.

1983 Chute de la junte militaire en Argentine.
Raúl Alfonsín est élu président de la République.

Abrégé de grammaire

Ce mémento grammatical n'est pas exhaustif. Il se limite à un panorama général de la grammaire espagnole qui vous permettra d'élargir vos possibilités d'expression et de satisfaire votre curiosité sur le plan grammatical.

L'article

L'article défini

	Singulier	Pluriel
Masculin	(le) el avión	(les) los aviones
Féminin	(la) la puerta	(les) las puertas

L'article indéfini

	Singulier	Pluriel
Masculin	(un) un autobús	(des) unos autobuses
Féminin	(une) una señora	(des) unas señoras

Attention ! l'article indéfini pluriel est très souvent omis (en fait, « unos/unas » ont plutôt le sens de « quelques »).

> Quisiera comprar cigarrillos = Je voudrais acheter des cigarettes.
> Tengo amigos en Madrid = J'ai des amis à Madrid.

L'article partitif

Il n'existe pas en espagnol.

> Bebo vino = Je bois du vin.
> Quisiera cerveza = Je voudrais de la bière.

Le genre et le nombre

Les noms et les adjectifs qui se terminent par un « o » sont généralement masculins :

el vino = le vin ; el ojo = l'œil ; el aeropuerto =
l'aéroport
(une exception importante : la mano = la main).

Les noms et les adjectifs qui se terminent par un « a »
sont généralement féminins :

la playa = la plage ; la mesa = la table ; la silla = la
chaise.

Les exceptions sont cependant nombreuses : el día = le
jour ; el sistema = le système ; el problema = le pro-
blème.

Sont féminins aussi les noms terminés par « ción »,
« sión », « zón », « dad » et « tad » :

La nación = la nation ; la libertad = la liberté ; la
bondad = la bonté.

Le féminin des adjectifs et de beaucoup de noms se
forme : soit en remplaçant le « o » final par un « a » :

Contento = contenta ; bonito = bonita ;

soit en ajoutant aux adjectifs de nationalité un « a » à la
consonne finale :

Español = española ; francés = francesa.

La plupart des adjectifs ayant une autre terminaison
restent invariables.

Le pluriel se forme en ajoutant un « s » aux mots ter-
minés par une voyelle, et « es » aux mots terminés par
une consonne :

Calle = calles ; libro = libros ; cama = camas.
Avión = aviones ; árbol = árboles ; flor = flores.

Les possessifs

Les adjectifs possessifs

	Singulier	Pluriel
1re pers. sing.	(mon, ma) mi	(mes) mis
2e pers. sing.	(ton, ta) tu	(tes) tus
3e pers. sing.	(son, sa) su	(ses) sus
1re pers. plur.	(notre) nuestro(a)	(nos) nuestros(as)
2e pers. plur.	(votre) vuestro(a)	(vos) vuestros(as)
3e pers. plur.	(leur) su	(leurs) sus

Notez que la distinction masculin/féminin ne se fait qu'à la première et à la deuxième personne du pluriel.

Les pronoms possessifs

	Singulier	Pluriel
1re pers. sing.	(le-a mien-ne) mío(a)	(les mien-nes) míos(as)
2e pers. sing.	(le-a tien-ne) tuyo(a)	(les tien-nes) tuyos(as)
3e pers. sing.	(le-a sien-ne) suyo(a)	(les sien-nes) suyos(as)
1re pers. plur.	(le-a nôtre) nuestro(a)	(les nôtres) nuestros(as)
2e pers. plur.	(le-a vôtre) vuestro(a)	(les vôtres) vuestros(as)
3e pers. plur.	(le-a leur) suyo(a)	(les leurs) suyos(as)

Estas maletas son mías = Ces valises sont à moi (miennes).

Este pasaporte no es tuyo = Ce passeport n'est pas à toi (tien).

Estos documentos son los nuestros = Ces papiers sont les nôtres.

Les démonstratifs

Dans l'espace autant que dans le temps, l'espagnol conçoit trois plans d'éloignement, et les adjectifs démonstratifs traduisent ces différents degrés par trois séries distinctes :

	1er plan aquí (ici)	*2e plan* allí (là)	*3e plan* allá (là-bas)
Masculin sing.	este	ese	aquel
Féminin sing.	esta	esa	aquella
Masculin plur.	estos	esos	aquellos
Féminin plur.	estas	esas	aquellas
Neutre	esto	eso	aquello

Este camping es excelente = Ce camping est excellent.

Esas pistas son peligrosas = Ces pistes-là sont dangereuses.

Aquellas vacaciones fueron extraordinarias = Ces vacances-là furent extraordinaires.

Les pronoms démonstratifs s'obtiennent en mettant un accent sur la voyelle tonique des adjectifs (la différence n'est donc qu'orthographique).

Este hotel es bueno pero ése es mejor = Cet hôtel est bon mais celui-là est meilleur.

¿Qué restaurante prefieres, éste o ése? = Quel restaurant préfères-tu, celui-ci ou celui-là?

Les comparatifs

Más... que = plus... que.

Este hotel es más caro que el otro = Cet hôtel est plus cher que l'autre.

He comprado más recuerdos que tú = J'ai acheté plus de souvenirs que toi.

Menos... que = moins... que.

Esta iglesia es menos bonita que ésa = Cette église est moins belle que celle-là.

Il fait moins froid qu'hier = Hace menos frío que ayer.

Tan... como = aussi... que.

Esta carretera es tan buena como la otra = Cette route est aussi bonne que l'autre.

Eres tan distraído como yo = Tu es aussi distrait que moi.

Tanto(a, os, as)... como = autant de... que.

Tenemos tanto equipaje como ustedes = Nous avons autant de bagages que vous.

Hay tantas frutas como en Francia = Il y a autant de fruits qu'en France.

Les superlatifs

El más grande = le plus grand.
El menos interesante = le moins intéressant.
El mejor = le meilleur.
El peor = le pire.
El mayor = le plus grand.
El menor = le plus petit.

La négation

Pour exprimer la négation, il suffit de placer avant le verbe la particule négative « no » :

Soy de Lima/No soy de Lima = Je suis de Lima/Je ne suis pas de Lima.

No hay lugar en el hotel = Il n'y a pas de place à l'hôtel.

Verbes et conjugaisons

Nous avons délibérément exclu les modes et temps verbaux présentant trop de complexité ou de difficultés (subjonctif, impératif, prétérit). En revanche, nous vous donnerons les éléments nécessaires pour que vous puissiez vous exprimer au présent (présent et gérondif), au passé (passé composé et imparfait) et au futur (futur proche) en utilisant les verbes réguliers et les verbes irréguliers les plus courants.

Notez, dès à présent, qu'il existe trois groupes de verbes identifiables par leurs terminaisons : AR, ER et IR.

Les différentes personnes (pronoms sujets)

Dans la conjugaison, les pronoms personnels sujets n'ont pas la même distribution qu'en français :

1re pers. sing. = yo	(je)	
2e pers. sing. = tú	(tu)	
3e pers. sing. = él	(il)	
ella	(elle)	
usted	(vous singulier de politesse)	

1re pers. plur.	= nosotros	(nous)
2e pers. plur.	= vosotros	(vous, pluriel familier ; il s'agit en fait du pluriel de « tú ». Cette forme n'existe cependant pas en Amérique latine où elle est remplacée par « ustedes »).
3e pers. plur.	= ellos	(ils)
	ellas	(elles)
	ustedes	(vous pluriel de politesse)

Notez que le « vous » français peut se traduire de trois façons distinctes, selon la quantité et la qualité des interlocuteurs (usted, vosotros, ustedes).

Souvenez-vous qu'en Amérique latine « vosotros » devient « ustedes » (pas de différence, au pluriel, entre la forme familière et la forme de courtoisie).

Sachez aussi qu'en espagnol le tutoiement est plus spontané et plus répandu qu'en français. Néanmoins, et afin de ne pas commettre de maladresses, attendez que ce soit votre interlocuteur qui l'emploie le premier.

Dernière remarque concernant les personnes : le pronom personnel sujet est rarement prononcé. Pour « Je suis français » on dira « Soy francés », car « Yo soy francés » a plutôt le sens de « Moi, je suis français ».

Le présent

Modèle pour les trois groupes réguliers :

	AR HABLAR (parler)	ER COMER (manger)	IR VIVIR (vivre/habiter)
yo	hablo	como	vivo
tú	hablas	comes	vives
él/ella	habla	come	vive
usted	habla	come	vive
nosotros	hablamos	comemos	vivimos
vosotros	habláis	coméis	vivís
ellos/ellas	hablan	comen	viven
ustedes	hablan	comen	viven

Quelques verbes irréguliers :

	SER* (être)	ESTAR* (être)	IR (aller)
yo	soy	estoy	voy
tú	eres	estás	vas
él/ella	es	está	va
usted	es	está	va
nosotros	somos	estamos	vamos
vosotros	sóis	estáis	váis
ellos/ellas	son	están	van
ustedes	son	están	van

	TENER (avoir)	VENIR (venir)	DECIR (dire)
yo	tengo	vengo	digo
tú	tienes	vienes	dices
él/ella	tiene	viene	dice
usted	tiene	viene	dice
nosotros	tenemos	venimos	decimos
vosotros	tenéis	venís	decís
ellos/ellas	tienen	vienen	dicen
ustedes	tienen	vienen	dicen

	CONOCER (connaître)	PODER (pouvoir)	SABER (savoir)
yo	conozco	puedo	sé
tú	conoces	puedes	sabes
él/ella	conoce	puede	sabe
usted	conoce	puede	sabe
nosotros	conocemos	podemos	sabemos
vosotros	conocéis	podéis	sabéis
ellos/ellas	conocen	pueden	saben
ustedes	conocen	pueden	saben

* ÊTRE = « SER » OU « ESTAR » ?

Le verbe SER traduit le verbe ÊTRE dans les cas suivants :

— Quand on exprime des caractéristiques permanentes, invariables :

Identité : Soy el señor Fabre = Je suis monsieur
Fabre.

Nationalité : Somos franceses = Nous sommes
français.

Profession : ¿ Es usted médico ? = Êtes-vous
médecin ?

— **Quand on nomme, définit, décrit, quelqu'un ou quel-
que chose :**

¿ Quién es ? = Qui est-ce ?

Es Juan = C'est Juan.

El hotel es limpio y barato = L'hôtel est propre et
bon marché.

— **Quand on exprime l'heure :**

¿ Qué hora es ? = Quelle heure est-il ?

Es la una = Il est une heure.

Son las cuatro = Il est quatre heures (pluriel).

— **Quand on exprime le prix :**

¿ Cuánto es ? = C'est combien ?

Son quinientas pesetas = (Cela fait) 500 pesetas.

— **Quand on exprime la possession :**

Es mi habitación = C'est ma chambre.

— **Dans certaines structures impersonnelles :**

Es fácil hablar español = Il est facile de parler
espagnol.

Le verbe ESTAR traduit le verbe ÊTRE dans les cas
suivants :

— **Quand on exprime des caractéristiques variables :**

¿ Cómo está usted ? = Comment allez-vous (êtes-
vous) ?

Estoy bien pero estoy cansado = Je vais bien mais je
suis fatigué.

— **Quand on exprime la situation spatiale, géographi-
que :**

¿ Dónde está el Museo del Prado ? = Où est le
musée du Prado ?

Está lejos de aquí = Il est loin d'ici.

Málaga está en Andalucía = Málaga est en
Andalousie.

— Dans la formation du gérondif (forme progressive) :

Estoy estudiando español = J'étudie l'espagnol.

Le gérondif (forme progressive)

Cette forme correspond au français « être en train de » et sert à traduire beaucoup de phrases qui, en français, seraient dites au présent. Cette forme se construit avec le présent du verbe ESTAR suivi du gérondif.

Comment former le gérondif ?

— Verbes en AR : remplacez la terminaison par ANDO : hablar = hablando ; trabajar = trabajando.
— Verbes en ER et en IR : remplacez la terminaison par IENDO : beber = bebiendo ; leer = leyendo (« i » devient « y » entre deux voyelles).

Estoy buscando una farmacia = Je suis en train de chercher une pharmacie, ou simplement : Je cherche une pharmacie.

Estamos visitando Madrid = Nous visitons Madrid.

¿ Estás comiendo ? = Tu manges ?

Le passé composé

Il se construit avec le présent de l'auxiliaire verbal HABER suivi du participe passé qui reste invariable.

Présent de l'auxiliaire HABER :

yo	he
tú	has
él/ella	ha
usted	ha
nosotros	hemos
vosotros	habéis
ellos/ellas	han
ustedes	han

Formation du participe :

— Verbes en AR : remplacez la terminaison par ADO : tomar = tomado ; ganar = ganado.

— Verbes en ER et en IR : remplacez la terminaison par IDO : comer = comido ; ir = ido.

He trabajado mucho hoy = J'ai beaucoup travaillé aujourd'hui.

¿ Has comido ya ? = Tu as déjà mangé ?

¿ Ha tenido usted un accidente ? = Avez-vous eu un accident ?

Quelques participes irréguliers :

hacer (faire)	= hecho
decir (dire)	= dicho
escribir (écrire)	= escrito
ver (voir)	= visto
abrir (ouvrir)	= abierto
cubrir (couvrir)	= cubierto
romper (casser)	= roto
morir (mourir)	= muerto
poner (mettre)	= puesto
volver (revenir)	= vuelto

L'imparfait

Pour les verbes en AR = remplacez la terminaison par ABA...

Pour les verbes en ER et en IR = remplacez la terminaison par IA...

	AR HABLAR (parler)	ER COMER (manger)	IR VIVIR (vivre)
yo	hablaba	comía	vivía
tú	hablabas	comías	vivías
él/ella	hablaba	comía	vivía
usted	hablaba	comía	vivía
nosotros	hablábamos	comíamos	vivíamos
vosotros	hablábais	comíais	vivíais
ellos/ellas	hablaban	comían	vivían
ustedes	hablaban	comían	vivían

Trois verbes irréguliers seulement :

	SER (être)	VER (voir)	IR (aller)
yo	era	veía	iba
tú	eras	veías	ibas
él/ella	era	veía	iba
usted	era	veía	iba
nosotros	éramos	veíamos	íbamos
vosotros	érais	veíais	íbais
ellos/ellas	eran	veían	iban
ustedes	eran	veían	iban

Le futur proche

Vous pouvez utiliser cette forme pour exprimer des actions immédiates aussi bien que des projets plus lointains. Le futur proche se construit avec le présent du verbe IR + A + infinitif.

Voy a tomar el avión = Je vais prendre l'avion.

Vamos a comprar flores = Nous allons acheter des fleurs.

En agosto, voy a ir a Acapulco = En août, je vais aller à Acapulco.

Le conditionnel

Nous avons volontairement exclu ce temps car il s'emploie surtout dans les phrases conditionnelles qui sont d'une extrême complexité et dont vous n'aurez pratiquement pas à vous servir.

Le conditionnel « Je voudrais... » — indispensable à tout voyageur — se traduit par le subjonctif passé. En voici la conjugaison :

yo	quisiera
tú	quisieras
él/ella	quisiera
usted	quisiera
nosotros	quisiéramos
vosotros	quisiérais
ellos/ellas	quisieran
ustedes	quisieran

Code de prononciation

Vous trouverez ci-dessous les différents sons espagnols suivis de la transcription phonétique que nous nous sommes efforcés de simplifier afin d'en faciliter la lecture. Il faut pourtant signaler qu'il existe de nombreuses variantes phonétiques — régionales et même nationales — dont il n'est pas possible de tenir compte ici. Néanmoins, le bon usage que vous ferez du code ci-dessous, vous garantit une compréhension totale de la part de votre interlocuteur, qu'il soit espagnol ou latino-américain.

Les caractères **gras** vous indiquent la place de l'accent tonique. N'hésitez donc pas à appuyer sur les voyelles grasses : le respect de l'accent tonique est aussi important, sinon plus, que la bonne prononciation des différents sons.

Son	Se prononce	Symbole	Exemple
Voyelles :			
a	comme en français	a	casa = **ka**ssa
e	entre « é » et « è »	è	calle = **ka**yè
i	comme en français	i	visita = vi**ssi**ta
o	plutôt ouvert	o	moto = **mo**to
u	comme « ou » français	ou	sur = sour
Consonnes :			
b	comme en français, parfois moins articulé	b	árbol = **ar**bol
c	+a +o +u, comme en français	k	caro = **ka**ro
	en Espagne : +e +i, se prononce en plaçant la pointe de la langue entre les dents ;	ç	servicio = sèr**vi**çio

Son	Se prononce	Symbole	Exemple
	en Amérique latine : comme « ss » français (si vous prononcez « ss » aussi en Espagne, vous serez toujours parfaitement compris...)		servicio = sérvissio
ch	se prononce « tch »	tch	chal = tchal
d	comme en français, parfois moins articulé	d	doctor = doktor
f	comme en français	f	foto = foto
g	+a +o +u +ue +ui, moins articulé qu'en français	g	guerra = guèrra
	+e +i, comme la prononciation de « j » (voir ci-dessous)	rh	gitana = rhitana
h	toujours muet, ne se transcrit pas	– –	hola = ola
j	comme « r » guttural, gratté et dur ; en Amérique latine, et notamment en Amérique centrale, le « j » est beaucoup plus doux et est parfois perçu comme une simple expiration (l'apostrophe avant le rh apparaît seulement en milieu de mot pour vous éviter de prononcer un « r » séparé du « h »)	rh	jota = rhota
		'rh	ojo = o'rho
k	comme en français	k	kilo = kilo
l	comme en français	l	lago = lago
ll	comme le « y » français (payer)	y	calle = kayé
m	comme en français	m	mano = mano

Son	Se prononce	Symbole	Exemple
n	comme en français il n'est pas nasalisé et doit se prononcer « nn » en fin de syllabe ou fin de mot	n	negro = né̇gro
		nn	fin = finn
ñ	comme « gn » français	gn	niño = nigno
p	comme en français	p	poco = poko
q	comme en français	k	quién = kié̇nn
r	comme le « r » roulé français avec une seule vibration de la partie avant de la langue	r	pero = pé̇ro
rr	comme le « r » avec plusieurs vibrations	rr	carro = karro
s	comme « ss » en français pour vous éviter de le sonoriser entre deux voyelles ou de l'omettre en fin de mot, nous l'avons transcrit « ss » dans ces deux positions :	s	sal = sal
		ss	más = mass
t	comme en français	t	todo = todo
v	comme en français, parfois moins articulé	v	vida = vida
w	se prononce « ou »	ou	water = ouaté̇r
x	comme k+s	ks	taxi = taksi
y	se prononce « i » dans deux cas, la conjonction *y* (et) et en fin de mot	i	hay = aï
	dans les autres positions, se prononce comme « y » (yoga, payer)	y	yo = yo
z	en Espagne, se prononce en plaçant la pointe de la langue entre les dents ;	ç	lazo = laço

Son	Se prononce	Symbole	Exemple
	en Amérique latine : comme « ss » français (vous pouvez prononcer « ss » aussi en Espagne, on vous comprendra parfaitement...)	ss	lazo = lasso

Guide pratique
d'utilisation
de la langue

Notes du traducteur

L'espagnol parlé en Espagne est parfaitement compris en Amérique latine. Cependant, il existe de nombreux termes qui sont propres à certains pays ou certaines régions et dont l'utilisation facilite la communication. Nous nous sommes ainsi efforcés d'introduire dans le vocabulaire correspondant aux différentes situations les termes locaux, en indiquant, quand il s'agit d'un emploi plus localisé, le pays ou les pays concernés.

Toutefois, il nous a été impossible d'entrer dans des détails de distribution géographique du vocabulaire, et vous aurez souvent l'occasion de constater qu'un mot employé au Mexique, par exemple, s'emploie aussi dans certains pays d'Amérique centrale, ou qu'une expression signalée par l'abréviation *AmL* est plus fréquente dans les pays tropicaux que dans les pays de la partie australe, ou vice versa.

En règle générale, commencez toujours par utiliser le mot signalé comme local (voir ci-dessous : Abréviations), puis, si votre interlocuteur a du mal à vous comprendre, référez-vous au mot espagnol standard.

Abréviations utilisées dans le vocabulaire :

AmL : Amérique latine.
Arg : Argentine.
Chi : Chili.
Col : Colombie.
Mex : Mexique.
Pér : Pérou.

Achats

compras   **ko**mprass

En Espagne, les magasins sont généralement ouverts de 9 heures 30 à 13 heures 30 et de 16 heures à 20 heures, du lundi au vendredi ; le samedi, ils ferment à 14 heures. Les grands magasins ouvrent du lundi au samedi de 10 heures à 20 heures sans interruption.

En Amérique latine, les jours et heures d'ouverture des différents commerces sont, à quelques exceptions près, les mêmes qu'en Espagne. Le dimanche, il y a en outre de nombreux marchés où l'on trouve simultanément denrées alimentaires et objets d'artisanat.

Ne marchandez pas en Espagne, vous risquez d'être très mal vu ! En revanche, vous pouvez toujours essayer de débattre le prix sur les marchés ou dans les petits magasins latino-américains, mais avec prudence. Sachez tout de même que ces habitudes sont très peu répandues dans la partie australe de l'Amérique du Sud (Argentine, Chili, Uruguay), où les commerçants ont un comportement tout à fait comparable à celui des Européens.

L'indispensable

Je voudrais **acheter**...
Quisiera comprar...
ki̧ssi̧**é**ra kompr**a**r...

Pouvez-vous m'**aider** ?
¿ Puede usted ayudarme ?
¿ pou**é**dé oust**é**d ayouda**r**mé ?

En **avez-vous** d'autres... moins chers... plus grands... plus
   petits ?
¿ Tiene usted otros... menos caros... más grandes... más
   pequeños ?
¿ tiéné oustéd otross... ménoss kaross... mass granndéss... mass
   pékégnoss ?

Acceptez-vous les **cartes de crédit** ?
¿ Acepta usted las tarjetas de crédito ?
¿ açépta oustéd lass tar'rhétass dé krédito ?

Où est le **centre commercial**... la boulangerie... le
   marché ?
¿ Dónde está el centro comercial... la panadería... el
   mercado ?
¿ donndé ésta él çénntro komérçial... la panadéria... él mérkado ?

   Au coin de la rue.
   En la esquina.
   énn la éskina.

   Première rue à droite.
   La primera calle a la derecha.
   la priméra kayé a la dérétcha.

   Deuxième à gauche.
   La segunda a la izquierda.
   la ségounnda a la içkiérda.

   Tout près d'ici.
   Muy cerca de aquí.
   moui çérka dé aki.

   C'est loin.
   Está lejos.
   ésta lé'rhoss.

En situation

Pouvez-vous me donner le **certificat d'origine** ?
¿ Puede usted darme el certificado de origen ?
¿ pouédé oustéd darmé él çértifikado dé ori'rhénn ?

Acceptez-vous les **chèques de voyage** ?
¿ Acepta usted los cheques de viaje ?
¿ açépta oustéd loss tchékéss dé via'rhé ?

Cela me **convient**.
Así está bien.
assi ésta biènn.

J'aimerais une **couleur** moins... plus foncée... claire.
Preferiría un color menos... más obscuro... claro.
préfériria ounn kolor ménoss... mass obskouro... klaro.

Combien cela **coûte-t-il** ?
¿ Cuánto vale ésto ?
¿ kouannto valé ésto ?

Quels sont les **droits de douane** à payer ?
¿ Cuánto hay que pagar de derechos de aduana ?
¿ kouannto aï ké pagar dé dérétchoss dé adouana ?

Puis-je **échanger**... **essayer** ?
¿ Puedo cambiar... probar ?
¿ pouédo kambiar... probar ?

A quelle heure **fermez-vous** ?
¿ A qué hora cierra usted ?
¿ a ké ora çiérra oustéd ?

J'**hésite** encore.
Todavía no me decido.
todavia no mé déçido.

Pouvez-vous **livrer** ce paquet à l'hôtel ?
¿ Puede usted mandar este paquete al hotel ?
¿ pouédé oustéd manndar ésté pakété al otél ?

Avez-vous de la **monnaie** ?
¿ Tiene usted cambio ?
¿ tiéné oustéd kambio ?

Pouvez-vous me **montrer** autre chose ?
¿ Puede usted enseñarme otra cosa ?
¿ pouédé oustéd énnségnarmé otra kossa ?

Où dois-je **payer** ? ... A la caisse.
¿ Dónde tengo que pagar ? ... En la caja.
¿ donndé ténngo ké pagar ? ... énn la ka'rha.

Celui-ci me **plairait** plus.
Este me gustaría más.
ésté mé goustaría mass.

Écrivez-moi le **prix**, s'il vous plaît.
Escríbame el precio, por favor.
éskribamé él préçio, por favor.

Puis-je **regarder**, s'il vous plaît ?
¿ Puedo mirar, por favor ?
¿ pouédo mirar, por favor ?

Pouvez-vous me **rembourser** ?
¿ Puede usted reembolsarme ?
¿ pouédé oustéd rréémbolsarmé ?

Je **repasserai** dans la journée... demain.
Pasaré nuevamente hoy... mañana.
passaré nouévaménnté oï... magnana.

Ceci fait-il partie des **soldes** ?
¿ Esto también está en liquidación ?
¿ ésto tambiénn ésta énn likidaçionn ?

Cela me **va** bien.
Esto me queda bien.
ésto mé kéda biénn.

Merci, au revoir !
¡ Gracias, adiós (hasta luego) !
¡ graçiass, adioss (asta louégo) !

Age

edad   édad
DATES
fechas   fétchass

En situation

Quel **âge** avez-vous ?
¿ Cuántos años tiene usted ?
¿ kouanntoss agnoss tiéné oustéd ?

J'ai vingt et un **ans**... trente ans.
Tengo veintiún años... treinta años.
ténngo véinntiounn agnoss... tréinnta agnoss.

J'aurai... **ans** dans... mois.
Voy a cumplir... años dentro de... meses.
voï a koumplir... agnoss dénntro dé... mésséss.

J'ai un (trois) **an(s)** de plus que...
Tengo un (tres) año(s) más que...
ténngo ounn (tréss) agno(ss) mass ké...

Quelle **date** sommes-nous ?
¿ A cuántos estamos ?
¿ a kouanntoss éstamoss ?

Il (elle) paraît plus **jeune** que son âge.
No representa su edad.
no rrépréssénnta sou édad.

Nous sommes le 24 août, **jour** de mon anniversaire.
Estamos a veinticuatro de agosto, día de mi cumpleaños.
éstamoss a véinntikouatro dé agosto, dia dé mi koumpléagnoss.

SPECTACLES INTERDITS AUX MOINS DE 18 ANS...
AUX **MINEURS**... AUX ENFANTS DE MOINS DE
10 ANS.
SE PROHIBE LA ENTRADA A LOS MENORES DE
18 AÑOS... A LOS MENORES DE EDAD... A LOS
NIÑOS MENORES DE 10 AÑOS.
sé proïbé la énntrada a loss ménoréss dé diéçiotcho **a**gnoss...
a loss ménoréss dé édad... a los **ni**gnoss ménoréss dé diéç
agnoss.

Vocabulaire

Adultes	los adultos	ad**ou**ltoss
Age	la edad	édad
Age d'homme	la edad adulta	édad ad**ou**lta
Anniversaire	el cumpleaños	koumpléagnoss
— de mariage	el aniversario de matrimonio	anivérsario dé matrimonio
Ans	los años	agnoss
Aujourd'hui	hoy	oï
Centenaire	el centenario	çénnténario
Date de naissance	la fecha de nacimiento	fétcha dé naçimiénnto
Demain	mañana	magnana
Hier	ayer	ayér
Jeune	joven	rhovénn
Jeunesse	la juventud	rhouvénnt**ou**d
Jour	el día	dia
Majeur	mayor de edad	may**o**r dé édad
Mineur	menor de edad	mén**o**r dé édad
Mois	un mes	méss
Naissance	el nacimiento	naçimiénnto
Naître	nacer	naçér
Né le (je suis)	nací el	naçi él
Vieillesse	la vejez	vé'rh**é**ç
Vieillir	envejecer	énnvé'rhéçér
Vieux	viejo	vi**é**'rho

Agence de voyages

agencia de viajes   a'rhénnçia dé via'rhéss

L'indispensable

Bonjour !
¡ Buenos días !
¡ bouénoss diass !

J'aimerais...
Me gustaría...
mé goustaria...

Auriez-vous... ?
¿ Tendría usted... ?
¿ ténndria oustéd... ?

Acceptez-vous les **chèques de voyage** ?
¿ Acepta usted los cheques de viaje ?
¿ açépta oustéd loss tchékéss dé via'rhé ?

Avez-vous un **circuit** meilleur marché ?
¿ Tiene usted algún circuito más barato ?
¿ tiéné oustéd algounn çirkouito mass barato ?

Cela me **convient**.
Esto me agrada.
ésto mé agrada.

Combien cela **coûte**-t-il ?
¿ Cuánto vale ésto ?
¿ kouannto valé ésto ?

Pouvez-vous me **proposer** autre chose ?
¿ Puede usted proponerme otra cosa ?
¿ pouédé oustéd proponérmé otra kossa ?

Merci, au revoir.
Gracias, adiós (hasta luego).
graçiass, adioss (asta louégo).

En situation

Pouvez-vous m'indiquer une **agence de voyages** ?
¿ Puede usted indicarme una agencia de viajes ?
¿ pou**é**dé oust**é**d inndik**a**rmé **ou**na a'rh**é**nnçia dé via'rh**é**ss ?

Pourriez-vous m'organiser un **circuit** partant de... passant
    par... pour aller à... ?
¿ Podría usted organizarme un circuito que salga de...
    que pase por... que vaya a... ?
¿ podr**i**a oust**é**d organiç**a**rmé ounn çirkou**i**to ké s**a**lga dé... ké
    pass**é** por... ké v**a**ya a... ?

Pour la visite, avez-vous un **guide parlant français** ?
¿ Para la visita, tiene usted un guía que hable francés ?
¿ p**a**ra la viss**i**ta, ti**é**né oust**é**d ounn gu**i**a ké **a**blé frannç**é**ss ?

J'aimerais **modifier** le parcours.
Me gustaría modificar el recorrido.
mé goustar**i**a modifik**a**r él rrékorr**i**do.

Le **transfert** à la gare... à l'aéroport... de l'hôtel à la
    gare, est-il inclus ?
El traslado a la estación... al aeropuerto... del hotel a la
    estación, ¿ está incluido ?
él trasl**a**do a la éstaçi**o**nn... al aéropou**é**rto... dél ot**é**l a la
    éstaçi**o**nn, ¿ **é**sta innklou**i**do ?

Vocabulaire

Aéroport	el aeropuerto	aéropou**é**rto
Annuler	anular, cancelar	anou**l**ar, kannçé**l**ar
Arriver	llegar	yé**g**ar
Assurances	los seguros	ség**ou**ross
Atterrissage	el aterrizaje	atérriça'rh**é**
Avion	el avión	avi**o**nn
Bagage	el equipaje	ékipa'rh**é**
— (excédent de)	el exceso de equipaje	ékç**é**sso dé ékipa'rh**é**
Billet	un billete	biy**é**t**é**
	(*AmL* : un pasaje)	passa'rh**é**
— plein tarif	— — de tarifa completa	— dé tarifa kompl**é**ta

— demi-tarif	— — de media tarifa	— dé média tarifa
— aller et retour	— — de ida y vuelta	— dé ida i vouélta
— de groupe	— — de grupo	— dé groupo
Boisson	la bebida	bébida
Cabine	el camarote	kamaroté
Chambre	la habitación	abitaçionn
	(*AmL* : el cuarto)	kouarto
Changer	cambiar	kambiar
Circuit	un circuito	çirkouíto
Classe, première	primera clase	priméra klassé
— seconde	segunda clase	ségounnda klassé
— touriste	clase turista	klassé tourista
— affaires	— negocios	— négoçioss
Compartiment	un departamento	départaménnto
Confirmer	confirmar	konnfirmar
Correspondance	un transbordo	trannsbordo
Couchette	una litera	litéra
Couloir	el pasillo, corredor	passiyo, korrédor
Croisière	un crucero	krouçéro
Décoller	despegar	déspégar
Escale	una escala	éskala
Excursion	una excursión	ékskoursionn
Fenêtre	la ventana	vénntana
Fumeurs	fumadores	foumadoréss
Guide	el guía	guia
Inclus	incluido	innklouido
Indicateur des chemins de fer	la guía de ferrocarriles	la guia dé férrokarriléss
Non fumeurs	no fumadores	no foumadoréss
Randonnée	una caminata, un paseo	kaminata, passéo
Repas	una comida	komida
Réservation	una reserva	rrésserva
Retard	un retraso, atraso	rrétrasso, atrasso
Route	la carretera	karrétéra
	(*AmL* : el camino)	kamino
Saison basse	la temporada baja	témporada ba'rha
— haute	— — alta	— alta
Spectacle	un espectáculo	éspéktakoulo
Supplément	un suplemento	soupléménnto

Théâtre	el teatro	téatro
Train	el tren	trénn
Trajet	el trayecto	trayékto
Transfert	el traslado	traslado
Valise	una maleta	maléta
Voiture	un coche	kotché
	(*Mex* : un carro)	karro
	(*AmL* : un auto)	aouto
Vol	un vuelo	vouélo
Wagon-lit	el coche cama	kotché kama

Animaux
de compagnie

animales de compañía   animaléss dé kompagnia

Si vous partez avec votre chien, respectez les trottoirs !
Vous n'êtes pas en France, et vous serez très mal perçu
si votre chien se laisse aller sur la voie publique...

Pensez en outre à vous renseigner sur les formalités
sanitaires concernant les animaux domestiques. En Es-
pagne, les vaccinations exigées sont les mêmes qu'en
France, mais en Amérique latine elles peuvent varier d'un
pays à l'autre.

En situation

Acceptez-vous les **animaux**... les chats... les chiens ?
¿ Acepta usted los animales... los gatos... los perros ?
¿ açépta oustéd loss animaléss... loss gatoss... loss pérross ?

Je voudrais acheter un **collier**... une laisse... une
    muselière.
Quisiera comprar un collar... una correa... un bozal.
kissiéra komprar ounn koyar... ouna korréa... ounn boçal.

Mon chien n'est pas **méchant**.
Mi perro no es bravo.
mi pérro no éss bravo.

Avez-vous de la **nourriture** pour les chats... pour les
    chiens ?
¿ Tiene usted comida para gatos... para perros ?
¿ tiéné oustéd komida para gatoss... para pérross ?

Faut-il payer un **supplément** ?
¿ Hay que pagar un suplemento ?
¿ aï ké pagar ounn souplémènnto ?

Existe-t-il une boutique de **toilettage** pour chiens ?
¿ Existe alguna tienda para el aseo de los perros ?
¿ éksisté algouna tiènnda para él asséo dé loss pérross ?

Où puis-je trouver un **vétérinaire** ?
¿ Dónde puedo encontrar un veterinario ?
¿ donndé pouédo énnkonntrar ounn vétérinario ?

Vocabulaire

Aboyer	ladrar	ladrar
Animal de compagnie	un animal de compañía	animal dè kompagnia
Basset	un pachón	patchonn
Bâtard	un bastardo	bastardo
Caniche	un caniche	kanish
Certificat	un certificado	çértifikado
Chat	un gato	gato
Chatte	una gata	gata
Chien	un perro	pérro
— de berger	— — pastor	— pastor
— loup	— — lobo	— lobo
Chienne	una perra	pérra
Collier	un collar	koyar
Croc	un colmillo	kolmiyo
Docile	dócil	doçil
Enragé	enrabiado	énnrrabiado
Épagneul	un podenco	podènnko
Gueule	la jeta	rhéta
Laisse	la correa	korréa
Lévrier	un lebrel	lébrél
Malade	enfermo, malo	énnférmo, malo
Miauler	maullar	maouyar
Museau	el hocico	oçiko
Muselière	un bozal	boçal
Obéissant	obediente	obédiènnté

Oreilles	las orejas	oré'rhass
Pattes	las patas	patass
Poil	el pelo	pélo
Propre	limpio	limpio
Queue	la cola	kola
Sauvage	salvaje	salva'rhé
	(*AmL :* bravo)	bravo
Truffe	las narices	nariçéss
Vaccin	una vacuna	vakouna
Vétérinaire	el veterinario	vétérinario

Appareils électriques

electrodomésticos   éléktrodoméstikoss

HI-FI

hi-fi   ifi

En Espagne, la tension électrique peut être en 110 ou en 220 V.

En Amérique latine, cela dépend du pays.

Dans tous les cas, munissez-vous d'un petit adaptateur (en vente dans les magasins spécialisés) qui résoudra le problème posé par les éventuelles différences d'écartement des fiches électriques. Et vérifiez le voltage avant de brancher vos appareils (sèche-cheveux par exemple).

L'indispensable

Bonjour !
¡ Buenos días !
¡ bouénoss diass !

Je voudrais **acheter**...
Quisiera comprar...
kissiéra komprar...

J'aimerais...
Me gustaría...
mé goustaria...

Auriez-vous... ?
¿ Tendría usted... ?
¿ ténndria oustéd... ?

Avez-vous un **article** meilleur marché ?
¿ Tiene usted algún artículo más barato ?
¿ tiéné oustéd algounn artikoulo mass barato ?

Acceptez-vous les **chèques de voyage** ?
¿ Acepta usted los cheques de viaje ?
¿ açépta oustéd loss tchékèss dé via'rhé ?

Cela me **convient**.
Así está bien.
assi ésta biènn.

Combien cela **coûte**-t-il ?
¿ Cuánto vale ésto ?
¿ kouannto valé ésto ?

Puis-je **échanger** ?
¿ Puedo cambiar ?
¿ pouédo kambiar ?

Moins cher... **moins** grand.
Menos caro... menos grande.
ménoss karo... ménoss grannde.

Pouvez-vous me **montrer** autre chose ?
¿ puede usted enseñarme otra cosa ?
¿ pouédé oustéd énnségnarmé otra kossa ?

Plus grand... **plus** petit.
Más grande... más pequeño.
mass grannde... mass pékégno.

Merci, au revoir.
Gracias, adiós (hasta luego).
graçiass, adioss (asta louégo).

En situation

Un **adaptateur** est-il nécessaire ?
¿ Hace falta un adaptador ?
¿ açé falta ounn adaptador ?

Cet **appareil** est déréglé.
Este aparato está descompuesto.
ésté aparato ésta déskompouésto.

Pouvez-vous me donner le **certificat d'origine** ?
¿ Puede usted darme el certificado de origen ?
¿ pouédé oustéd darmé él çértifikado dé ori'rhènn ?

Quels sont les **droits de douane** à payer ?
¿ Cuánto hay que pagar de derechos de aduana ?
¿ kouannto aï kè pagar dè dérètchoss dè adouana ?

Le **fusible** a sauté.
Se fundió el fusible.
sé founndio èl foussiblé.

Avez-vous ce type de **pile** ?
¿ Tiene usted este tipo de pila ?
¿ tiéné oustèd èsté tipo dé pila ?

Ma **radio** est en panne.
Mi radio no funciona.
mi rradio no founnçiona.

Pouvez-vous le (la) **réparer** ?
¿ Puede usted arreglarlo(la) ?
¿ pouédè oustèd arréglarlo(la) ?

Quand pourrai-je le (la) **reprendre** ?
¿ Cuándo puedo venir a retirarlo(la) ?
¿ kouannndo pouédo vènir a rrètirarlo(la) ?

Vocabulaire

Adaptateur	un adaptador	adaptad**or**
Ampérage	el amperaje	ampèra'rhè
Amplificateur	un amplificador	amplifikad**or**
Ampoule	una bombilla	bombiya
	(*AmL* : una ampolleta)	ampoyé**ta**
Antenne	la antena	anntè**na**
Bande magnétique	una cinta magnética	çinnta mag-né**tika**
Bouilloire	un hervidor	èrvid**or**
	(*AmL* : una tetera)	tété**ra**
Brancher	enchufar	énntchoufar
Bruit	el ruido	rrouido
	(*AmL* : la bulla)	bouya
Câble	un cable	kablé
Cafetière	una cafetera	kafété**ra**
Calculatrice	una calculadora	kalkoulad**ora**

Cassette enregistrée	una cassette grabada	kass**é**t grabada
— vierge	— — virgen	— vir'rh**é**nn
Courant	la corriente	korri**é**nnté
Dévisser	destornillar	déstorniy**ar**
Disques	los discos	disk**o**ss
— compact	— — compactos	— komp**a**ktoss
Écouteurs	los auriculares	aourikoular**é**ss
	(*AmL :* los audífonos)	aoud**í**fonoss
Fer à repasser	una plancha	pl**a**nntcha
Fiche (élec.)	un enchufe	énntch**ou**fé
Fil	un cordón	kord**o**nn
Fréquence	la frecuencia	frékou**é**nnçia
Fusible	un fusible	fouss**i**blé
Garantie	la garantía	garann**tí**a
Grille-pain	un tostador	tostad**o**r
Haut-parleur	un parlante	parl**a**nnté
Interrupteur	un interruptor	innté**r**rouptor
Lampe	una lámpara	l**á**mpara
Magnétophone	un magnetófono	mag-nét**o**fono
	(*AmL :* una grabadora)	grabad**o**ra
Magnétoscope	un video	vid**é**o
Période	un periodo	pér**i**odo
Pile	una pila	p**i**la
Pinces	un alicate	alik**a**té
Platine	un tocadiscos	tokad**i**skoss
Portatif	portátil	port**a**til
Prise	un enchufe	énntch**ou**fé
— multiple	— — múltiple	— m**ou**ltiplé
Radio	una radio	**r**radio
Rallonge	un alargador	alargad**o**r
Rasoir	una máquina de afeitar	m**a**kina dé af**ei**tar
Réparation	un arreglo	arr**é**glo
Réparer	arreglar	arr**é**glar
Résistance	la resistencia	rréssist**é**nnça
Réveil	el despertador	déspért**a**dor
Sèche-cheveux	el secador de pelo	sékad**o**r dé p**é**lo
Sonder	sondear	sonnd**é**ar
Tête de lecture	la cabeza de lectura	kab**é**ça dé l**é**ktoura

Touche	una tecla	tékla
Tourne-disque	un tocadiscos	tokadiskoss
Tournevis	un destornillador	déstorniyador
Transformateur	un transformador	trannsformador
Visser	atornillar	atorniyar
Voltage 110	voltaje de ciento diez	volta'rhé dé çiénnto diéç
— 220	— de doscientos veinte	— dé doçiénntoss véinnté

Autobus

autobús   aoutobo**uss**
AUTOCAR
autocar   aoutok**ar**

Dans la plupart des villes espagnoles et latino-américaines, l'autobus constitue le moyen de transport urbain le plus courant. L'état des véhicules n'est pas toujours très satisfaisant, mais s'agissant de parcours intra-urbains, le manque relatif de confort est parfaitement supportable.

En revanche, les services d'autocars assurant de longs trajets sont, notamment dans la partie sud de l'Amérique du Sud, de toute première catégorie : la ponctualité, le respect des règles de sécurité routière, la qualité de l'accueil, sont parmi leurs principales caractéristiques. On comprend aisément pourquoi l'autocar est souvent plus cher que le train.

Mais, dès qu'on s'éloigne des principaux axes routiers, on est obligé de circuler dans des véhicules moins confortables, parfois très vieux, et dont le pittoresque vous laissera d'impérissables souvenirs...

En situation

Où est la station du bus qui va à... ?
¿ Dónde está la estación del autobús que va a... ?
¿ d**o**nndè **é**sta la **é**staci**o**nn d**è**l aoutobo**uss** k**é** va a... ?

Pouvez-vous m'**arrêter** à... ?
¿ Puede usted parar en... ?
¿ pou**é**dè oust**é**d para**r** ènn... ?

Je voudrais un **billet** pour...
Quisiera un billete pa**r**a...
kissi**é**ra ounn biy**é**tè p**a**ra...

Faut-il **changer** de bus ?
¿ Hay que cambiar de autobús ?
¿ aï ké kambiar dé aoutobouss ?

Combien coûte le trajet jusqu'à... ?
¿ Cuánto vale el trayecto hasta... ?
¿ kouannto valé él trayékto asta... ?

Pouvez-vous me prévenir, quand je devrai **descendre** ?
¿ Puede usted avisarme cuando tengo que bajar ?
¿ pouédé oustéd avissarmé kouanndo ténngo ké ba'rhar ?

A quelle **heure** passe le dernier bus ?
¿ A qué hora pasa el último autobús ?
¿ a ké ora passa él oultimo aoutobouss ?

Avez-vous un **plan** du réseau... un horaire ?
¿ Tiene usted algún plano de los recorridos... un horario ?
¿ tiéné oustéd algounn plano dé loss rrékorridoss... ounn orario ?

Vocabulaire

Aller simple	ida	ida
Aller et retour	ida y vuelta	ida i vouélta
ARRÊT	PARADA	parada
ARRÊT FACULTATIF	PARADA DISCRECIONAL (*AmL* : — FACULTATIVA)	— diskréçional — fakoultativa
ARRÊT OBLIGATOIRE	PARADA OBLIGATORIA	— obligatoria
Autobus	el autobús	aoutobouss
	(*Mex* : el camión)	kamionn
	(*Chi* : la micro)	mikro
	(*Arg* : el colectivo)	koléktivo
Bagages	equipaje	ékipa'rhé
Banlieue	la periferie, las afueras	périférié, afouérass
	(*AmL* : los suburbios)	soubourbioss
BILLETS	BILLETES	biyétéss
	(*AmL* : BOLETOS)	bolétoss
Chauffeur	el chofer	tchofér
Complet	completo, lleno	komplèto, yéno

Correspondance	una conexión	konéksionn
	un transbordo	trannsbordo
DESCENTE	BAJADA	ba'rhada
Destination	el destino	déstino
Gare routière	la terminal de autobuses	términal dé aoutobousséss
Guichet	la ventanilla, taquilla	vénntaniya, takiya
	(*AmL :* la boletería)	bolétéria
Horaire	el horario	orario
MONTÉE	SUBIDA	soubida
Prix	el precio	préçio
Receveur	el cobrador	kobrador
RENSEIGNEMENTS	INFORMACIONES	innformaçionéss
SORTIE	SALIDA	salida
STATION	ESTACION	éstaçionn
Supplément	un suplemento	soupléménnto
Tarif	una tarifa	tarifa
(Demi-tarif)	media tarifa	média tarifa
Terminus	el terminal	términal
Tramway	un tranvía	trannvía

Avion

avión   avi**o**nn
AÉROPORT
aeropuerto   aéropou**é**rto

Tant en Espagne qu'en Amérique latine, les principales villes de province sont reliées à la capitale et entre elles par les compagnies aériennes locales. Les principales liaisons ont une fréquence de deux vols par jour ou plus, selon la période de l'année.

Le prix des billets est proportionnellement moins élevé qu'en France, mais comme les distances, notamment en Amérique latine, sont beaucoup plus longues, l'avion reste un moyen de transport assez coûteux.

En situation

Acceptez-vous les petits **animaux** en cabine ?
¿ Se pueden llevar animalitos en la cabina ?
¿ sé pou**é**dènn yév**a**r animal**i**toss ènn la kab**i**na ?

Faut-il enregistrer ce **bagage** ?
¿ Hay que facturar este equipaje ?
¿ aï ké faktour**a**r **é**sté ékipa'rhé ?

Puis-je garder cette valise comme **bagage à main** ?
¿ Puedo quedarme con esta maleta como equipaje de mano ?
¿ pou**é**do kéd**a**rmé konn **é**sta mal**é**ta k**o**mo ékipa'rhé dé mano ?

Mon **bagage est endommagé**
Mi equipaje está dañado.
mi ékipa'rhé ésta dagn**a**do.

Je voudrais un **billet** simple... un aller et retour... en
  première classe... en classe affaires... en classe
  touriste.
Quisiera un billete de ida... un ida y vuelta... en primera
  clase... en clase negocios... en clase turista.
kissièra ounn biyété dé ida... ounn ida i vouélta... énn primèra
  klassé... énn klassé négoçioss... énn klassé tourista.

Où se trouvent les **boutiques** « hors taxe » ?
¿ Dónde se encuentran las tiendas libres de impuesto ?
¿ donndé sé énnkouénntrann lass tiénndass libréss dé
  impouésto ?

J'ai perdu ma **carte d'embarquement**.
He perdido mi tarjeta de embarque.
é pérdido mi tar'rhéta dé émbarké.

Où est le **comptoir d'enregistrement** ?
¿ Dónde se factura (registra) el equipaje ?
¿ donndé sé faktoura (rré'rhistra) él ékipa'rhé ?

Pouvez-vous me **conduire** à l'aéroport ?
¿ Puede usted llevarme al aeropuerto ?
¿ pouédé oustéd yévarmé al aéropouérto ?

A quelle heure a lieu l'**embarquement** ? ... à quelle
  porte ?
¿ A qué hora se tiene que embarcar ? ... en qué puerta ?
¿ a ké ora sé tiéné ké émbarkar ? ... énn ké pouérta ?

DERNIER APPEL... **EMBARQUEMENT IMMÉDIAT**.
ULTIMO LLAMADO... EMBARQUE INMEDIATO.
oultimo yamado... émbarké innmédiato.

Dois-je payer un **excédent de bagages** ?
¿ Debo pagar exceso de equipaje ?
¿ débo pagar ékçésso dé ékipa'rhé ?

Y a-t-il encore de la **place** sur le vol... ?
¿ Hay todavía lugar en el vuelo... ?
¿ aï todavia lougar énn él vouélo... ?

Pouvez-vous changer ma réservation ?
¿ Puede usted cambiarme la reserva ?
¿ pouède ousted kambiarmé la rrésserva ?

J'ai confirmé ma **réservation** il y a trois jours.
Confirmé mi reserva hace tres días.
konnfirmé mi rrésserva açé tréss diass.

Le vol est-il **retardé**... annulé ?
¿ El vuelo tiene retraso... está cancelado ?
¿ él vouélo tiéné rrétrasso... ésta kannçélado ?

Je voudrais un **siège** à l'avant... à l'arrière... près d'un
   hublot... sur l'allée dans la zone « fumeurs »... « non
   fumeurs ».
Quisiera un asiento adelante... atrás... junto a la
   ventanilla... junto al pasillo en la zona « fumadores »...
   « no fumadores ».
kissiéra ounn assiénnto adélannté... atrass... rhounnto a la
   vénntaniya... rhounnto al passiyo énn la çona « foumadoréss »...
   « no foumadoréss ».

Ai-je le **temps** d'aller changer de l'argent ?
¿ Tengo tiempo de ir a cambiar dinero ?
¿ ténngo tiémpo dé ir a kambiar dinéro ?

A quelle heure décolle le prochain **vol** pour... ?
¿ A qué hora despega el próximo avión para... ?
¿ a ké ora déspéga el proksimo avionn para... ?

En vol

en vuelo   énn vouélo

Restez **assis** jusqu'à l'arrêt complet de l'appareil.
Se ruega a los pasajeros permanezcan sentados
   hasta el paro total del avión.
sé rrouéga a loss passa'rhéross pérmanéçkann sénntadoss
   asta él paro total dél avionn.

ATTACHEZ VOS CEINTURES.
ABROCHEN SUS CINTURONES DE SEGURIDAD.
abrotchénn souss çintouronéss dé ségouridad.

Je voudrais quelque chose à **boire**... une couverture.
Quisiera algo para beber... una manta.
kissiéra algo para bébér... ouna mannta.

Mes **écouteurs** ne fonctionnent pas.
Mis auriculares no funcionan.
miss aourikoularéss no founnçionann.

NE FUMEZ PAS PENDANT LE DÉCOLLAGE.
NO FUMEN DURANTE EL DESPEGUE.
no fouménn dourannté el déspégué.

NE FUMEZ PAS PENDANT L'ATTERRISSAGE.
NO FUMEN DURANTE EL ATERRIZAJE.
no fouménn dourannté él atérriça'rhé.

NE FUMEZ PAS DANS LES TOILETTES.
NO FUMEN EN LOS SERVICIOS.
no fouménn énn loss sérviçioss.

Votre **gilet de sauvetage** est sous votre siège.
Su chaleco salvavidas está debajo de su asiento.
sou tchaléko salvavidass ésta déba'rho dé sou assiénnto.

Veuillez retourner à vos **sièges**.
Sírvanse regresar a sus asientos.
sirvannsé rrégréssar a souss assiénntoss.

Quelle est la **température** au sol ?
¿ Qué temperatura hace en tierra ?
¿ ké témpératoura açé énn tiérra ?

Dans combien de **temps** servez-vous le petit déjeuner...
le déjeuner... la collation... le dîner ?
¿ Dentro de cuánto tiempo van a servir el desayuno... el
almuerzo... la colación... la cena ?
¿ dénnto dé kouannto tiémpo vann a sérvir él déssayouno... él
almouérço... la kolaçionn... la çéna ?

Notre **temps de vol** jusqu'à... sera de...
El vuelo hasta... tendrá una duración de...
él vouélo asta... ténndra ouna douraçionn dé...

Nous **volons** à une altitude de...
Estamos volando a una altura de...
éstamoss volanndo a ouna altoura dé...

Nous entrons dans une **zone de turbulences**.
Estamos entrando en una zona de turbulencias.
éstamoss énntrannndo énn ouna çona dé tourbouiénnçiass.

Vocabulaire

ACCÈS AUX AVIONS	A LOS AVIONES	a loss avionéss
Aéroport	aeropuerto	aéropouérto
Allée	la ida	ida
Aller	ir	ir
ARRIVÉE	LLEGADA	yégada
Assurances	los seguros	ségouross
Atterrissage	el aterrizaje	atérriça'rhé
Bagages	el equipaje	ékipa'rhé
— à main	— — de mano	— dé mano
Bar	el bar	bar
Billet	un billete	biyété
	(*AmL* : un pasaje)	passa'rhé
Boutiques hors taxe	las tiendas libres de impuesto	tiénndass libréss dé impouésto
Cabine	la cabina	kabina
Carte d'embarquement	la tarjeta de embarque	tar'rhéta dé émbarké
Classe (première)	primera clase	primèra klassé
— (seconde)	segunda —	ségounnda —
— affaires	clase negocios	klassé négoçioss
— touriste	— turista	— tourista
Commandant de bord	el comandante de a bordo	komanndannté dé a bordo
Confirmation	la confirmación	konnfirmaçionn
CONTRÔLE DES PASSEPORTS	CONTROL DE PASAPORTES	konntrol dé passaportéss

Couverture	una manta	mannta
	(*Mex* : una cobija)	kobi'rha
	(*AmL* : una frazada)	fraçada
Décollage	el despegue	déspégué
DÉPART	SALIDA	salida
Descendre	bajar	ba'rhar
DOUANE	ADUANA	adouana
EMBARQUEMENT	EMBARQUE	émbarké
Embarquement immédiat	embarque inmediato	émbarké innmédiato
Équipage	la tripulación	tripoulaçionn
Fiche de police	la ficha de policía	fitcha dé poliçia
Fouille de sécurité	un control de seguridad	konntrol dé ségouridad
FUMEURS	FUMADORES	foumadoréss
Gilet de sauvetage	chaleco salvavidas	tchaléko salvavidass
Horaire	el horario	orario
Hôtesse de l'air	la azafata	açafata
	(*Mex* : la aeromoza)	aéromoça
Hublot	la ventanilla	vénntaniya
IMMIGRATION	INMIGRACION	innmigraçionn
MONTER	SUBIR	soubir
NON FUMEURS	NO FUMADORES	no foumadoréss
Passeport	el pasaporte	passaporté
Porte	la puerta	pouérta
Porteur	el mozo	moço
Réservation	la reserva	rrésserva
Retardé	retrasado, atrasado	rrétrassado, atrassado
Sac	el bolso	bolso
SORTIE DE SECOURS	SALIDA DE EMERGENCIA	salida dé émér'rhénnçia
Soute	la bodega	bodéga
Supplément	un suplemento	souplémênnto
TRANSIT	TRANSITO	trannsito
Valise	una maleta	maléta
Visa	el visado	vissado
	(*AmL* : la visa)	vissa
Vol	el vuelo	vouélo
— intérieur	— doméstico	doméstiko
— international	— internacional	— innternaçional

Banque

banco   bannko

En principe, en Espagne et en Amérique latine, les banques sont ouvertes de 9 heures du matin à 14 heures (le samedi jusqu'à 13 heures). Renseignez-vous néanmoins sur place car on peut observer quelques différences selon l'importance des villes.

Vous pouvez aussi changer vos devises dans des agences de voyages ou dans de grands hôtels, à un taux légèrement inférieur à celui pratiqué par les banques.

Certains pays d'Amérique latine pratiquent un trafic parallèle de devises qui vous permet de changer à un taux beaucoup plus avantageux dans la rue ou dans certains magasins. Mais, attention ! cela comporte beaucoup de risques...

Les cartes internationales de crédit et les chèques de voyage sont admis dans tous les pays, mais uniquement dans les magasins ou hôtels d'un certain standing.

En situation

Où est la **banque** la plus proche ?
¿ Dónde está el banco más cercano ?
¿ donndé ésta él bannko mass çérkano ?

Y a-t-il un **bureau de change** près d'ici ?
¿ Hay alguna oficina de cambio cerca de aquí ?
¿ aï algouna oficina dé kambio çérka dé aki ?

J'ai une **carte de crédit**.
Tengo una tarjeta de crédito.
ténngo ouna tar'rhéta dé krédito.

Je voudrais **changer** des francs belges... français...
   suisses.
Quisiera cambiar francos belgas... franceses... suizos.
kissièra kambiar frannkoss bélgass, frannçésséss, souiçoss.

Je voudrais encaisser ce **chèque de voyage**.
Quisiera hacer efectivo este cheque de viaje.
kissièra açèr éféktivo ésté tchèkè dé via'rhé.

Quel est le **cours du change** ?
¿ A cómo está el cambio ?
¿ a komo ésta él kambio ?

Quelles sont les heures d'**ouverture** de la banque ?
¿ A qué hora está abierto el banco ?
¿ a kè ora ésta abièrto él bannko ?

Où dois-je **signer** ?
¿ Dónde tengo que firmar ?
¿ donndé ténngo kè firmar ?

J'attends un **virement**. Est-il arrivé ?
Espero una transferencia. ¿ Ha llegado ya ?
éspéro ouna trannsférénnçia. ¿ a yégado ya ?

Vocabulaire

Argent	el dinero	dinèro
	(*AmL* : la plata)	plata
Billet	un billete	biyèté
CAISSE	CAJA	ka'rha
Carnet de chèques	un talonario de cheques	talonario dé tchèkèss
Carte de crédit	una tarjeta de crédito	tar'rhèta dé krèdito
CHANGE	CAMBIO	kambio
Changer	cambiar	kambiar
Chèque	un cheque	tchèkè
— de voyage	— — de viaje	— dé via'rhé
Commission	la comisión	komissionn
	el porcentaje	porçénnta'rhé
Compte	la cuenta	kouènnta
Cours	el (tipo de) cambio	tipo dé kambio
Devises	las divisas	divissass

Encaisser	hacer efectivo	açér éféktivo
	(*AmL* : cobrar)	kobrar
Espèces	en efectivo	éféktivo
Eurochèques	Eurocheques	éourotchékéss
Formulaire	un formulario	formoulario
Guichet	la ventanilla	vénntaniya
Montant	el monto	monnto
Paiement	el pago	pago
Par télégramme	por telegrama	por télégrama
Payer	pagar	pagar
	(*AmL* : cancelar)	kannçélar
Pièces de monnaie	monedas	monédass
Reçu	un recibo	rréçibo
Retirer	sacar	sakar
Signature	la firma	firma
Signer	firmar	firmar
Versement	un depósito	dépossito
Virement	una transferencia	trannsférénnçia
	(*AmL* : un giro)	rhiro

Bateau

barco   barko

En situation

DERNIER APPEL, les passagers sont priés de
   monter à bord.
ULTIMO LLAMADO, se ruega a los señores pasajeros
   que suban a bordo.
oultimo yam**a**do, sè rrou**è**ga a loss ségnor**è**ss passa'rh**è**ross
   kè s**ou**bann a b**o**rdo.

Pour quelle heure l'**arrivée** est-elle prévue ?
¿ A qué hora está prevista la llegada ?
¿ a kè **o**ra **è**sta prévista la yég**a**da ?

Voulez-vous faire porter mes **bagages** dans la cabine
   nº... ?
¿ Alguien podría llevar mi equipaje a la cabina número... ?
¿ **a**lguiènn podria yèv**a**r mi èkipa'rhè a la kabina n**ou**mèro... ?

Mon **bagage est endommagé**.
Mi equipaje está dañado.
mi èkipa'rhè **è**sta dagn**a**do.

Je voudrais un **billet** simple... aller et retour... première
   classe... seconde classe.
Quisiera un billete de ida... un ida y vuelta... primera
   clase... segunda clase.
kiss**iè**ra ounn biy**è**té dé **i**da... ounn **i**da i vou**è**lta... prim**è**ra
   klass**è**... ség**ou**nnda klass**è**.

Où sont les **bureaux** de la compagnie maritime ?
¿ Dónde están las oficinas de la compañía marítima ?
¿ d**o**nndé **è**stann lass ofiçinass dé la kompagnia maritima ?

Y a-t-il encore des **cabines** disponibles ?
¿ Quedan camarotes disponibles ?
¿ k**è**dann kamar**o**tèss disponibl**è**ss ?

Je voudrais une **cabine** sur le pont.
Quisiera un camarote de cubierta.
kissièra ounn kamaroté dé koubièrta.

J'aimerais disposer d'une **chaise longue**.
Me gustaría disponer de una tumbona.
me goustaria disponér dé ouna toumbona.

Pouvez-vous me **conduire** au port ?
¿ Podría usted llevarme al puerto ?
¿ podria oustéd yévarmé al pouérto ?

A quelle heure a lieu l'**embarquement**... le départ ?
¿ A qué hora es el embarque... la salida ?
¿ a ké ora éss él émbarké... la salida ?

Quelle est la durée de l'**escale** ?
¿ Cuánto dura la escala ?
¿ kouannto doura la éskala ?

Pouvez-vous m'**indiquer** le bar ?
¿ Puede usted indicarme el bar ?
¿ pouédé oustéd inndikarmé él bar ?

J'ai le **mal de mer**. Avez-vous un remède ?
Estoy mareado(a). ¿ Tiene usted algún remedio ?
éstoï maréado(a). ¿ tiéné oustéd algounn rrémédio ?

Pouvez-vous changer ma **réservation** ?
¿ Puede usted cambiarme la reserva ?
¿ pouédé oustéd kambiarmé la rréssérva ?

A quelle heure **servez-vous** le petit déjeuner... le
    déjeuner... le dîner ?
¿ A qué hora sirven el desayuno... el almuerzo... la cena ?
¿ a ké ora sirvénn él déssayouno... él almouérço... la çéna ?

Combien de temps dure la **traversée**... la croisière ?
¿ Cuánto tiempo dura la travesía... el crucero ?
¿ kouannto tiémpo doura la travéssia... él krouçéro ?

Est-ce une **traversée** de jour ou de nuit ?
¿ Es una travesía de día o de noche ?
¿ éss ouna travéssia dé dia o dé notché ?

Vocabulaire

Aller	ir	ir
Annulé	anulado, cancelado	anoulado, kannçélado
ARRIVÉE	LLEGADA	yégada
Assurances	los seguros	ségouross
Bâbord	babor	babor
Bagages	el equipaje	ékipa'rhé
Bar	el bar	bar
Billet	un billete	biyété
	(*AmL* : un pasaje)	passa'rhé
Bouée	el salvavidas	salvavidass
Cabine	un camarote	kamaroté
Cale	la cala	kala
Canot de sauvetage	el bote salvavidas	boté salvavidass
Chaise longue	una tumbona	toumbona
	(*AmL* : una silla de lona)	siya dé lona
Commissaire de bord	el comisario de a bordo	komissario dé a bordo
Confirmation	la confirmación	konnfirmaç ɔnn
Couchette	una litera	litéra
Couverture	una manta	mannta
	(*Mex* : una cobija)	kobi'rha
	(*AmL* : una frazada)	fraçada
Classe (première)	primera clase	primèra klassé
— (seconde)	segunda clase	ségounnda klassé
DÉPART	SALIDA	salida
DESCENDRE	BAJAR	ba'rhar
DOUANE	ADUANA	adouana
Embarcadère	el embarcadero	émbarkadéro
EMBARQUEMENT	EMBARQUE	émbarké
Équipage	la tripulación	tripoulaçionn
Escale	una escala	éskala
Excursion	una excursión	ékskoursionn
Fiche de police	la ficha de policia	fitcha dé poliça
Fouille de sécurité	un control de seguridad	konntrol dé ségouridad
FUMEURS	FUMADORES	foumadorèss
Gilet de sauvetage	el chaleco salvavidas	tchalèko salvavidass

Horaire	el horario	orario
Hublot	la ventanilla	vénntaniya
IMMIGRATION	INMIGRACION	innmigraçionn
Jetée	el malecón	malékonn
MÉDECIN DU BORD	MEDICO DE A BORDO	médiko dé a bordo
MONTER	SUBIR	soubir
Nœud	un nudo	noudo
NON FUMEURS	NO FUMADORES	no foumadoréss
Passeport	el pasaporte	passaporté
Passerelle	la pasarela	passaréla
Pont	la cubierta	koubiérta
Porteur	el mozo	moço
	(*AmL :* el maletero)	malétéro
Poupe	la popa	popa
Proue	la proa	proa
Quai	el muelle	mouéyé
Réservation	la reserva	rréssérva
Retard	un retraso, atraso	rrétrasso, atrasso
Sac	un bolso	bolso
Supplément	un suplemento	soupléménnto
Toilettes	los servicios	sérviçioss
	(*AmL :* el baño, el water)	bagno, ouatér
Tribord	estribor	éstribor
Valise	una maleta	maléta
Visa	el visado	vissado
	(*AmL :* la visa)	vissa

Bijouterie

joyería   rhoyéria

HORLOGERIE

relojería   rrélo'rhéria

C'est surtout au Mexique, en Colombie et au Pérou que vous serez tenté par les bijoux... L'or et l'argent y sont beaucoup plus abordables qu'en France et vous aurez l'occasion d'admirer, et peut-être d'acheter de superbes pierres précieuses ou semi-précieuses (rubis, émeraude, saphir, topaze, améthyste, lapis-lazuli). Vous trouverez en outre de très belles imitations de bijoux précolombiens ainsi que des bijoux modernes inspirés des formes anciennes.

L'indispensable

Bonjour !
¡ Buenos días !
¡ bouénoss diass !

Je voudrais **acheter**...
Quisiera comprar...
kissiéra komprar...

J'**aimerais**...
Me gustaría...
mé goustaria...

Auriez-vous... ?
¿ Tendría usted... ?
¿ ténndria oustéd... ?

Avez-vous un **article** meilleur marché ?
¿ Tiene usted algún artículo más barato ?
¿ tiéné oustéd algounn artikoulo mass barato ?

Acceptez-vous les **chèques de voyage** ?
¿ Acepta usted los cheques de viaje ?
¿ açépta oustéd loss tchèkéss dè via'rhé ?

Cela me **convient**.
Así está bien.
assi ésta biènn.

Combien cela **coûte**-t-il ?
¿ Cuánto vale ésto ?
¿ kouannto valé ésto ?

Puis-je **essayer**... **échanger** ?
¿ Puedo probarme... cambiar ?
¿ pouédo probarmé... kambiar ?

Moins cher...
Menos caro...
ménoss karo...

Pouvez-vous me **montrer** autre chose ?
¿ Puede usted enseñarme otra cosa ?
¿ pouédé oustéd énnségnarmé otra kossa ?

Plus grand... **plus** petit.
Más grande... más pequeño.
mass granndé... mass pékégno.

> Merci, au revoir.
> Gracias, adiós (hasta luego).
> graçiass, adioss (asta louégo).

En situation

Je voudrais voir le **bracelet** qui est en vitrine.
Quisiera ver el brazalete (la pulsera) que está en vitrina.
kissièra vèr èl braçalété (la poulséra) ké ésta énn vitrina.

Pouvez-vous me donner le **certificat d'origine** ?
¿ Puede usted darme el certificado de origen ?
¿ pouédé oustéd darmé èl çértifikado dè ori'rhénn ?

Avez-vous un **choix** de bagues ?
¿ Tiene usted un surtido de sortijas ?
¿ tiéné oustéd ounn sourtido dè sorti'rhass ?

Quels sont les **droits de douane** à payer ?
¿ Cuánto hay que pagar de derechos de aduana ?
¿ kouannto aï kė pagar dė dérétchoss dé adouana ?

Auriez-vous un **modèle** plus simple ?
¿ Tendría usted un modelo más sencillo ?
¿ ténndria oustéd ounn modélo mass sénnçiyo ?

Ma **montre** ne marche pas.
Mi reloj no funciona.
mi rrélo'rh no founnçiona.

Pouvez-vous **remplacer** le verre ?
¿ Puede usted cambiar el cristal ?
¿ pouédé oustéd kambiar él kristal ?

Le **verre** est cassé.
El cristal se ha roto.
él kristal sé a rroto.

Vocabulaire

Acier inoxydable	acero inoxidable	açéro inoksidablé
Aiguille	la aguja	agou'rha
Ambre	el ámbar	ambar
Argent massif	plata maciza	plata maçiça
Bague	una sortija, argolla	sorti'rha, argoya
	(*AmL* : un anillo)	aniyo
Boucle	una hebilla	ébiya
Boucles d'oreilles	unos pendientes	pénndiénntéss
	(*Mex* : unos aretes)	arétéss
	(*AmL* : unos aros)	aross
Boutons de manchettes	unos gemelos	rhémėloss
	(*AmL* : unas colleras)	koyérass
Bracelet-montre	un reloj de pulsera	rrélo'rh dé poulséra
Briquet	un mechero, encendedor	métchéro, énnçénndédor
Broche	un broche	brotché
Cadeau	un regalo	rrégalo
Carat	carate	karaté
Cassé	roto, quebrado	rroto, kébrado

Chaîne	una cadena	kad**e**na
Chaînette	una cadenita	kad**e**nita
Chronomètre	un cronómetro	kron**o**mètro
Collier	un collar	koy**a**r
Couverts	unos cubiertos	koubi**e**rtoss
Cuiller (petite)	una cucharilla, cucharita	koutchariya, koutcharita
Épingle à cravate	un alfiler de corbata	alfil**e**r dé korb**a**ta
Étanche	impermeable	imp**e**rmé**a**blé
Ivoire	el marfil	marf**i**l
Médaille	una medalla	méd**a**ya
Montre automatique	un reloj automático	rrél**o**'rh aoutom**a**tiko
Or massif	oro macizo	**o**ro maç**i**ço
Pendentif	un dije, pendentif	di'rhé, pénndénntif
Pierres précieuses	unas piedras preciosas	pi**e**drass prèçi**o**ssass
— semi-précieuses	— — semi-preciosas	— sémi-prèçi**o**ssass
Pile	una pila	p**i**la
Plaqué argent	enchapado en plata	énntchap**a**do énn pl**a**ta
— or	— en oro	— énn **o**ro
Ressort	el resorte	rréss**o**rté
Réveil de voyage	un despertador de viaje	désp**e**rtad**o**r dé vi**a**'rhé
Verre (de montre)	el cristal	krist**a**l

Boucherie

En Espagne comme en Amérique latine, la découpe de la viande n'est pas celle que nous connaissons. Si vous trouvez à peu près les mêmes appellations pour les grandes parties de l'animal, pour le détail, les différences sont importantes.

Ne cherchez pas de boucheries chevalines... Le cheval est considéré, surtout en Amérique latine, comme l'animal le plus noble, et il ne saurait être question de s'en nourrir. Mais partout vous trouverez, selon la production locale, bœuf, agneau, porc et volaille d'excellente qualité.

L'indispensable

Bonjour !
¡ Buenos días !
¡ bouénoss diass !

Je voudrais **acheter**...
Quisiera comprar...
kissiéra komprar...

J'**aimerais**...
Me gustaría...
mé goustaria...

Auriez-vous... ?
¿ Tendría usted... ?
¿ ténndria oustéd... ?

Cela me **convient**.
Así está bien.
assi ésta biénn.

Combien cela **coûte**-t-il ?
¿ Cuánto vale ésto ?
¿ kouannto valé ésto ?

Moins cher... **moins** gros... **moins** gras.
Menos caro... menos grande... menos graso.
ménoss karo... ménoss granndé... ménoss grasso.

Auriez-vous un autre **morceau** ?
¿ Tendría usted otro trozo ?
¿ ténndria oustéd otro troço ?

Plus gros... **plus** petit.
Más grande... más pequeño.
mass granndé... mass pékégno.

> Merci, au revoir.
> Gracias, adiós (hasta luego).
> graçiass, adioss (asta louégo).

Vocabulaire

Agneau (côte d')	una chuleta de cordero	tchouléta dé kordéro
Bœuf (côte de)	una chuleta de buey	tchouléta dé bouéi
	(*AmL :* — de vaca)	— dé vaka
— (rôti de)	un asado	assado
— (steak)	un bistec	bisték
	(*Arg :* un bife)	bifé
— (steak haché)	un picadillo	pikadiyo
	(*AmL :* carne molida)	karné molida
Boudin	la morcilla	morçiya
	(*AmL :* la prieta)	priéta
Cerf	el ciervo	çiérvo
Entrecôte	el lomo	lomo
Faisan	el faisán	faïssann
Faux filet	el solomillo	solomiyo
Filet	el filete	filété
Foie	el hígado	igado
Gras	la grasa, el gordo	grassa, gordo
	(*AmL :* la gordura)	gordoura
Jambon	el jamón	rhamonn

Lard	el tocino	toçino
Maigre	magro, sin grasa	magro, sinn grassa
Morceau	un trozo	troço
Mouton (épaule de)	un codillo de cordero	kodiyo dé kordéro
— (gigot de)	una pierna de cordero	piérna dé kordéro
Porc (côte de)	una chuleta de cerdo	tchouléta dé çérdo´
Salé	carne de cerdo salada	karné dé çérdo salada
Sanglier	el jabalí	rhabali
Saucisse	una salchicha	saltchitcha
Saucisson	un salchichón	saltchitchonn
Tendre	tierno	tiérno
Tranche	una loncha, rebanada	lonntcha, rrébanada
Veau (escalope de)	una escalopa de ternera	éskalopa dé térnéra
Volailles :	las aves :	avéss :
canard	el pato	pato
dinde	el pavo	pavo
	(*Mex :* el guajolote)	goua'rholoté
lapin	el conejo	koné'rho
pintade	la pintada	pinntada
	(*AmL :* la gallineta)	gayinéta
poulet	el pollo	poyo

Boulangerie

panadería   panadéria
PÂTISSERIE
pastelería   pastéléria

L'indispensable

Bonjour !
¡ Buenos días !
¡ bouénoss diass !

Je voudrais **acheter**...
Quisiera comprar...
kissiéra komprar...

J'**aimerais**...
Me gustaría...
mé goustaria...

Auriez-vous... ?
¿ Tendría usted... ?
¿ ténndria oustéd... ?

Cela me **convient**.
Así está bien.
assi ésta biénn.

Combien cela **coûte**-t-il ?
¿ Cuánto vale ésto ?
¿ kouannto valé ésto ?

Moins cher... **moins** gros.
Menos caro... menos grande.
ménoss karo... ménoss granndé.

Pouvez-vous me **montrer** autre chose ?
¿ Puede usted enseñarme otra cosa ?
¿ pouédé oustéd énnségnarmé otra kossa ?

Plus grand... **plus** petit.
Más grande... más pequeño.
mass granndé... mass pékégno.

Merci, au revoir.
Gracias, adiós (hasta luego).
graçiass, adioss (asta louégo).

Vocabulaire

Bien cuit	bien cocido	biènn koçido
Biscotte	pan tostado, biscotte	pann tostado, biskot
Brioche	un bollo	boyo
Chausson	una empanadilla	émpanadiya
Croissant	un croissán	krouassann
Farine	la harina	arina
Gâteau	un pastel	pastèl
Levure	la levadura	lévadoura
Pain	el pan	pann
Pâte	la masa	massa
Peu cuit	no muy cocido	no moui koçido
Tarte	una tarta	tarta

Camping

camping   kamping

Le camping est très développé en Espagne surtout sur la côte méditerranéenne, et ne présente pas de différences sensibles avec le camping pratiqué en France. Les pièces exigées sont identiques à celles que vous devez présenter à la frontière.

En Amérique latine, le camping en est encore à ses débuts. Ce n'est que sur les régions côtières les plus fréquentées que vous pourrez trouver quelques terrains qui ne sont pas toujours très bien aménagés. En revanche, le camping sauvage peut être pratiqué quasiment sans restrictions, mais nous ne saurions trop vous conseiller la prudence...

En situation

Où y a-t-il un terrain de camping ?
¿ Dónde hay un camping ?
¿ donndè aï ounn kamping ?

Comment y parvenir ?
¿ Cómo se llega allí ?
¿ komo sé yéga ayi ?

Pouvez-vous me montrer le chemin sur la carte ?
¿ Puede usted mostrarme el camino en el mapa ?
¿ pouèdè oustéd mostrarmé èl kamino ènn èl mapa ?

Où puis-je **acheter** une bouteille de gaz... une torche ?
¿ Dónde puedo comprar una botella de gas... una linterna ?
¿ donndè pouèdo komprar ouna botéya dè gass... ouna linntèrna ?

Où puis-je **dresser** la tente ?
¿ Dónde puedo montar la tienda ?
¿ donndé pouédo monntar la tiénnda ?

Où se trouve le poste d'**eau potable** ?
¿ Dónde se encuentra el grifo de agua potable ?
¿ donndé sé énnkouénntra él grifo dé agoua potablé ?

Où puis-je **garer la caravane** ?
¿ Dónde puedo aparcar la caravana ?
¿ donndé pouédo aparkar la karavana ?

Y a-t-il un **magasin d'alimentation** ?
¿ Hay alguna tienda de comestibles ?
¿ aï algouna tiénnda dé koméstibléss ?

Avez-vous de la **place** ?
¿ Tiene usted lugar ?
¿ tiéné oustéd lougar ?

Quel est le **prix** par jour et par personne... pour la
    voiture... la caravane... la tente ?
¿ Cuál es el precio por día por persona... por coche... por
    caravana... por tienda ?
¿ koual éss él préçio por dia por pérsona... por kotché... por
    karavana... por tiénnda ?

Comment se fait le **raccord au réseau électrique** ?
¿ Cómo se hace la conexión eléctrica ?
¿ komo sé açé la konéksionn éléktrika ?

Nous désirons **rester**... jours ... semaines.
Quisiéramos quedarnos... días ... semanas.
kissiéramoss kédarnoss... diass ... sémanass.

Le camping est-il **surveillé** la nuit ?
¿ Hay alguna vigilancia por la noche ?
¿ aï algouna vi'rhilannçia por la notché ?

Où sont les **toilettes**... les douches... les lavabos... les
    poubelles ?
¿ Dónde están los servicios... las duchas... los lavabos...
    el basurero ?
¿ donndé éstann loss sérviçioss... lass doutchass... loss
    lavaboss... él bassouréro ?

Quel est le **voltage** ?
¿ Cuál es el voltaje ?
¿ koual éss él volta'rhé ?

Vocabulaire

Alcool à brûler	alcohol de quemar	alkol dé kémar
Allumettes	cerillas	çériyass
	(*AmL* : cerillos, fósforos)	çériyoss, fosfoross
Ampoule	una bombilla	bombiya
	(*AmL* : una ampolleta)	ampoyéta
Assiette	un plato	plato
Bidon	un bidón	bidonn
Bougie (cire)	una vela	véla
Boussole	una brújula	brou'rhoula
Branchement	la conexión	konéksionn
Briquet	un mechero, encendedor	métchéro, énnçénndédor
Buanderie	la lavandería, el lavadero	lavanndéria, lavadéro
CAMPING INTERDIT	PROHIBIDO HACER CAMPING	proïbido açér kamping
Caravane	una caravana, roulotte	karavana, rroulot
Casserole	una cacerola	kaçérola
	(*AmL* : una olla)	oya
Catégorie	la categoría	katégoria
Chaise	una silla	siya
Chaise longue	una tumbona	toumbona
	(*AmL* : una silla de lona)	siya dé lona
Chauffage	la calefacción	kaléfakçionn
Cintre	una percha	pértcha
Clef	una llave	yavé
— anglaise	— — inglesa	— inngléssa
— plate	— — plana	— plana
— à tube	— — de tubo	— dé toubo
Corde	una cuerda	kouérda
	(*AmL* : una soga)	soga
Couteau	un cuchillo	koutchiyo
Couverts	unos cubiertos	koubiértoss

Couverture	una manta	mannta
	(*Mex* : una cobija)	kobi'rha
	(*AmL* : una frazada)	fraçada
Cuiller	una cuchara	koutchara
Décapsuleur	un destapador	déstapador
Douche	la ducha	doutcha
Draps	las sábanas	sabanass
Eau potable	el agua potable	agoua potablé
— chaude	— — caliente	— kaliénnté
— froide	— — fría	— fria
Emplacement	un sitio	sitio
Enregistrement	la inscripción	innskripçionn
Fourchette	un tenedor	ténédor
Gardien	el guardia	gouardia
Gaz en bouteille	gas en botella	gass énn botéya
Gobelet	un vaso	vasso
Gourde	una cantimplora	kanntimplora
Hache	un hacha	atcha
Lampe de poche	una linterna	linntérna
— tempête	— — a prueba de viento	— a prouéba dé viénnto
Linge	la ropa	rropa
Lit de camp	una cama de campaña	kama dé kampagna
Louer	alquilar, arrendar	alkilar, arrénndar
Machine à laver	una lavadora	lavadora
Marteau	un martillo	martiyo
Mât de tente	un mástil	mastil
Matelas	un colchón	koltchonn
— pneumatique	— — inflable	— innflablé
Matériel de camping	material de camping	matérial dé kamping
Moustiquaire	un mosquitero	moskitéro
Ouvre-boîtes	un abrelatas	abrélatass
Papier hygiénique	papel higiénico	papél i'rhèniko
Pince	un alicate	alikaté
— à linge	una pinza para la ropa	pinnça para la rropa
Piquet de tente	una estaca	éstaka
Piscine	la piscina	piçina
	(*Arg* : la pileta)	piléta
Poubelle	el basurero	bassouréro

Prise de courant	el enchufe	énntchoufé
Réchaud	una cocinilla	koçiniya
	(*AmL :* un anafe)	anafé
Réfrigérateur	una nevera	névèra
	(*AmL :* un refrigerador)	rréfri'rhérador
Remorque	un remolque	rrèmolkè
Robinet	el grifo	grifo
	(*AmL :* la llave del agua)	yavé dèl agoua
Sac à dos	una mochila	motchila
— de couchage	un saco de dormir	sako dè dormir
Seau	un cubo	koubo
	(*AmL :* un balde)	baldé
Table	una mesa	mèssa
Tapis de sol	una alfombra de hule	alfombra dè oulé
Tasse	una taza	taça
Tendeur	un tensor	ténnsor
Tente	una tienda	tiènnda
	(*AmL :* una carpa)	karpa
Terrain	un terreno	térréno
Terrain de jeux	un campo de juego	kampo dè rhouègo
pour les enfants	para los niños	para loss nignoss
Tire-bouchon	un sacacorchos	sakakortchoss
Toilettes	los servicios	sèrviçioss
	(*AmL :* el baño, water)	bagno, ouatér
Tournevis	el destornillador	dèstorniyador
Trousse à outils	la caja de herramientas	ka'rha dè érramiènntass
— secours	el botiquín	botikinn
Vaisselle	la vajilla	va'rhiya
Voiture	el coche	kotché
	(*Mex :* el carro)	karro
	(*AmL :* el auto)	aouto

Chaussures

zapatos   çapatoss
CORDONNIER
zapatero   çapatéro

Vous trouverez, dans certains pays d'Amérique latine (Chili, Argentine) et en Espagne, de très bons cuirs et une industrie de la chaussure assez développée ; les prix sont en outre très intéressants.

Les pointures sont souvent décalées d'un chiffre, en plus ou en moins par rapport à la France, raison pour laquelle il est indispensable d'essayer avant d'acheter.

L'indispensable

Bonjour !
¡ Buenos días !
¡ bouénoss diass !

Je voudrais **acheter**...
Quisiera comprar...
kissiéra komprar...

J'**aimerais**...
Me gustaría...
mé goustaria...

Auriez-vous... ?
¿ Tendría usted... ?
¿ ténndria oustéd... ?

Avez-vous un **article** meilleur marché ?
¿ Tiene usted algún artículo más barato ?
¿ tiéné oustéd algounn artikoulo mass barato ?

Acceptez-vous les **cartes de crédit**... les **chèques de voyage** ?
¿ Acepta usted las tarjetas de crédito... los cheques de viaje ?
¿ açépta oustéd lass tar'rhétass dé krédito... loss tchékéss dé via'rhé ?

Cela me **convient**.
Así está bien.
assi ésta biénn.

Combien cela **coûte**-t-il ?
¿ Cuánto vale ésto ?
¿ kouannto valé ésto ?

Puis-je **essayer** ?
¿ Puedo probarme ?
¿ pouédo probarmé ?

Moins cher... **moins** grand.
Menos caro... menos grande.
ménoss karo... ménoss granndé.

Pouvez-vous me **montrer** autre chose ?
¿ Puede usted enseñarme otra cosa ?
¿ pouédé oustéd énnségnarmé otra kossa ?

Plus grand... **plus** petit.
Más grande... más pequeño.
mass granndé... mass pékégno.

> Merci, au revoir.
> Gracias, adiós (hasta luego).
> graçiass, adioss (asta louégo).

En situation

Où puis-je trouver un **cordonnier** ?
¿ Dónde puedo encontrar un zapatero ?
¿ donndé pouédo énnkonntrar ounn çapatéro ?

Ces chaussures sont **étroites**. Pouvez-vous les mettre sur
la forme ?
Estos zapatos me quedan estrechos. ¿ Puede ponerlos en
la horma ?
éstoss çap**a**toss mé k**é**dann éstr**é**tchoss. ¿ Pou**é**dé pon**é**rloss énn
la **o**rma ?

Avez-vous un **modèle** du même genre ?
¿ Tiene usted algún modelo del mismo tipo ?
¿ ti**é**né oust**é**d alg**ou**nn mod**é**lo d**é**l m**i**smo t**i**po ?

Quand seront-elles **prêtes** ?
¿ Cuándo estarán listos ?
¿ kou**a**nndo éstar**a**nn l**i**stoss ?

Faites-vous des **réparations** rapides ?
¿ Hace usted arreglos rápidos ?
¿ **a**çé oust**é**d arr**é**gloss rrap**i**doss ?

Vocabulaire

Beige	beige	b**é**ige
Blanc	blanco	bla**nn**ko
Botte	una bota	b**o**ta
Brun	marrón	marr**o**nn
	(*AmL :* café)	kaf**é**
Caoutchouc	goma	g**o**ma
Chausse-pied	un calzador	kalçad**o**r
Chaussures de marche	zapatos para andar	çap**a**toss para annd**a**r
— montantes	botinas	bot**i**nass
— souples	zapatos blandos	çap**a**toss bla**nn**doss
Cirage	el betún, la cera	bét**ou**nn, ç**é**ra
Clouer	clavar	klav**a**r
Coller	pegar	pég**a**r
Cordonnier	el zapatero	çapat**é**ro
Court	corto	k**o**rto
Cuir véritable	cuero	kou**é**ro
Daim	ante	**a**nnté
Embauchoir	la horma	**o**rma
Étroit	estrecho	éstr**é**tcho

Grand	grande	granndé
Lacet	un cordón	kordonn
Large	ancho	anntcho
Noir	negro	négro
Paire	un par	par
Petit	pequeño	pékégno
Pointure	el número	nouméro
Recoudre	coser	kossér
Ressemelage	cambio de suela	kambio dé souéla
Rouge	rojo	rro'rho
Sandales	unas sandalias	sanndaliass
Semelle	una suela	souéla
Talon	un tacón	takonn
	(*AmL :* una tapilla)	tapiya
Tissu, toile	tela, lona	téla, lona
Vernis	un barniz	barniç
Vert	verde	vérdé

Circulation

circulación   çirkoulaçionn
ROUTE / VILLE
carretera / ciudad   karrétéra / çioudad

En Espagne, dès que vous quitterez une autoroute, vous trouverez des routes en beaucoup moins bon état. Nids-de-poule, craquelures dans le goudron, bas-côtés non stabilisés sont malheureusement assez fréquents.

En Amérique latine, soyez extrêmement prudents sur les routes de montagne, elles sont parfois très étroites et bordent des précipices impressionnants (le grand nombre de croix sur le bord des routes témoigne des innombrables accidents qui s'y sont produits...). Il existe aussi de nombreuses pistes, mais nous vous conseillons de ne les emprunter qu'avec un véhicule en excellent état et une bonne carte...

Sachez également que les distances sont très longues et, pour certaines excursions, prévoyez un jerricane d'essence et de l'eau en abondance.

En situation

Comment peut-on **aller** à... ?
¿ Cómo se puede ir a... ?
¿ komo sé pouédé ir a... ?

Il faut faire **demi-tour**.
Hay que dar media vuelta.
aï ké dar média vouélta.

A quelle **distance** sommes-nous de... ?
¿ A qué distancia estamos de... ?
¿ a ké distannçia éstamoss dé... ?

C'est tout **droit**.
Es todo derecho.
èss todo dérètcho.

Voulez-vous m'**indiquer** sur la carte... sur le plan ?
¿ Puede usted indicarme en el mapa... en el plano ?
¿ pouédè oustéd inndikarmé ènn èl mapa... ènn èl plano ?

Est-ce **loin** d'ici ?
¿ Está lejos de aquí ?
¿ èsta lé'rhoss dè aki ?

Où suis-je ?
¿ Dónde estoy ?
¿ donndé éstoï ?

Où y a-t-il un garage... un hôpital... un hôtel... un
   restaurant... dans les environs ?
¿ Dónde hay un garaje... un hospital... un hotel... un
   restaurante... en los alrededores ?
¿ donndé aï ounn gara'rhé... ounn ospital... ounn otél... ounn
   rrèstaourannté... ènn loss alrrédédoréss ?

Où puis-je **stationner** ?
¿ Dónde puedo aparcar ?
¿ donndé pouédo aparkar ?

Tournez à droite... à gauche.
Doble a la derecha... a la izquierda.
doblè a la dérètcha... a la içkièrda.

Vocabulaire

A côté	al lado, junto a	al lado, rhounnto a
A droite	a la derecha	a la dérètcha
A gauche	a la izquierda	a la içkièrda
Avenue	una avenida	avènida
Banlieue	la periferie, las afueras	pèrifèrié, afouèrass
Boulevard	un bulevar	boulévar
	(*Pér :* un jirón)	rhironn
Carrefour	un cruce	krouçè
Chemin	un camino	kamino
Demi-tour	media vuelta	média vouèlta

Derrière	atrás	atrass
Descente	una bajada	ba'rhada
Devant	adelante	adélannté
Direction	la dirección	dirèkçionn
Église	una iglesia	iglèssia
En face	al frente	al frènnté
Environs	los alrededores	alrrédédorèss
Montée	una subida	soubida
Parc	un parque	parké
Place	una plaza	plaça
Pont	un puente	pouènnté
Route	una carretera	karrétèra
Rue	una calle	kayé
Sens interdit	dirección prohibida	dirèkçionn proïbida
Sentier	un sendero	sénndèro
Sous	debajo	dèba'rho
Sur	encima	énnçima
Tournant	una curva	kourva
Tout droit	todo derecho	todo dérètcho

Panneaux routiers

señales de circulación   ségnaléss dé çirkoulaçionn

ADUANA	DOUANE
ALTURA MAXIMA : ... M	HAUTEUR LIMITÉE A ... M
APARCAMIENTO (PARKING) REGLAMENTADO	PARKING PAYANT
ARCEN EN MAL ESTADO	ACCOTEMENTS NON STABILISÉS
(*AmL* : BERMAS EN MAL ESTADO)	
AUTOPISTA	AUTOROUTE
BACHES, HOYOS	TROUS, NIDS-DE-POULE
BARRERAS AUTOMATICAS	BARRIÈRES AUTOMATIQUES
CALZADA DEFORMADA	CHAUSSÉE DÉFORMÉE
CALZADA RESBALADIZA	CHAUSSÉE GLISSANTE
CARRETERA COMARCAL	ROUTE DÉPARTEMENTALE
(*AmL* : CARRETERA PROVINCIAL)	
CARRETERA CORTADA	ROUTE BARRÉE
CARRETERA EN MAL ESTADO	ROUTE EN MAUVAIS ÉTAT
CARRETERA INUNDADA	ROUTE INONDÉE
CARRETERA NACIONAL	ROUTE NATIONALE
CENTRO	CENTRE VILLE
CIRCULACION EN DOS FILAS	CIRCULEZ SUR DEUX FILES
CIRCULACION EN UNA SOLA FILA	CIRCULEZ SUR UNE FILE
CRUCE PELIGROSO	CROISEMENT DANGEREUX
CURVAS	COURBES
CURVAS EN ... KM	VIRAGES SUR ... KM
DERRUMBAMIENTOS	CHUTE DE PIERRES
DERRUMBES	ÉBOULEMENTS
DESPACIO	RALENTIR
DESVIACION, DESVIO	DÉVIATION
DIRECCION UNICA	SENS UNIQUE
(*AmL* : SENTIDO UNICO)	
ESCUELA	ÉCOLE

ESTACIONAMIENTO ALTERNO	STATIONNEMENT ALTERNÉ
ESTACIONAMIENTO PROHIBIDO	STATIONNEMENT INTERDIT
FRONTERA	FRONTIÈRE
HIELO	VERGLAS
HOSPITAL	HÔPITAL
NIEBLA	BROUILLARD
NIEVE	NEIGE
PASO A NIVEL	PASSAGE A NIVEAU
PASO PEATONAL	PASSAGE PIÉTONS
PEAJE A ... KM	PÉAGE A ... KM
PELIGRO	DANGER
PENDIENTE ... %	PENTE A ... %
PERIFERICO	PÉRIPHÉRIQUE
POLICIA	POLICE
PRIORIDAD A LA DERECHA	PRIORITÉ A DROITE
PRIORIDAD A LA IZQUIERDA	PRIORITÉ A GAUCHE
PUENTE	PONT
PUERTO ABIERTO	COL OUVERT
(*AmL* : PASO ABIERTO)	
PUERTO CERRADO	COL FERMÉ
(*AmL* : PASO CERRADO)	
RECUERDE	RAPPEL
SALIDA DE VEHICULOS	SORTIE DE VÉHICULES
SEMAFORO	FEUX DE CIRCULATION
SE PROHIBEN LAS CARAVANAS	INTERDIT AUX CARAVANES
SIN SALIDA	(VOIE) SANS ISSUE
TRABAJOS, OBRAS	TRAVAUX
VELOCIDAD LIMITADA	VITESSE LIMITÉE

Coiffeur

peluquero   peloukéro

COIFFEUR POUR DAMES
peluquero para señoras   péloukéro para ségnorass

COIFFEUR POUR HOMMES
peluquero para caballeros   péloukéro para kabayéross

En Amérique latine les salons de coiffure sont souvent moins sophistiqués qu'en Europe et proposent un choix de coiffures plus restreint et très classique ; vous y trouverez cependant la plupart des produits de soins habituels. Il n'existe pratiquement pas de salons de coiffure mixtes.

En situation

Pouvez-vous m'indiquer un salon de coiffure ?
¿ Puede usted indicarme una peluquería ?
¿ pouédé oustéd inndikarmé **ou**na péloukéria ?

Faites-moi des **boucles**... des ondulations.
Hágame rizos... ondulaciones.
agamé rriçoss... onndoulaçionéss.

Je voudrais une **coloration** en brun... châtain... noir... roux... une décoloration.
Quisiera un tinte moreno... castaño... negro... pelirrojo... una decoloración.
kissiéra ounn tinnté moréno... kastagno... négro... pélirro'rho... **ou**na dékoloraçionn.

Combien vous dois-je ?
¿ Cuánto le debo ?
¿ kouannto lé débo ?

Ne **coupez** pas trop **court**.
No corte demasiado corto.
no korté démassiado korto.

L'eau est trop chaude... trop froide.
El agua está demasiado caliente... demasiado fría.
él agoua ésta démassiado kaliénnté... démassiado fria.

Avez-vous une **manucure** ?
¿ Tiene usted una manicura ?
¿ tiéné oustéd ouna manikoura ?

Je **ne veux pas** de gel... ni de laque.
No quiero gel... ni laca.
no kiéro rhèl... ni laka.

Quel est le **prix** d'une coupe... d'une mise en plis... d'une
    permanente ?
¿ Cuánto vale un corte... un marcado (peinado)... una
    permanente ?
¿ kouannto valé ounn korté... ounn markado (péinado)... ouna
    pérmanénnté ?

Je voudrais me faire **raser**.
Quisiera que me afeitaran.
kissiéra ké mé aféitarann.

Je voudrais un **rendez-vous**.
Quisiera pedir hora.
kissiéra pédir ora.

Faites-moi un **shampooing**... un brushing.
Hágame un lavado... un brushing.
agamé ounn lavado... ounn brashing.

Vocabulaire

Au-dessus	encima, sobre	énnçima, sobré
Blond	rubio	rroubio
	(*Mex* : güero)	gouéro
Boucles	rizos	rriçoss
Brun	pardo, moreno	pardo, moréno
Brushing	brushing	brashing

Casque	el secador	sékad**or**
Châtain	castaño	kast**a**gno
Cheveux	el pelo	p**é**lo
— gras	— — graso	— gr**a**sso
	(*AmL* : — — grasoso)	— grass**o**sso
— ondulés	— — ondulado	— onndoul**a**do
— raides	— — liso	— l**i**sso
— secs	— — seco	— s**é**ko
Chignon	un moño	m**o**gno
Ciseaux	las tijeras	ti'rh**é**rass
Clair	claro	kl**a**ro
Coupe	un corte	k**o**rté
Crêper	cardar	kard**a**r
Derrière	atrás	atr**a**ss
Devant	adelante	adél**a**nnté
Doux	suave	sou**a**vé
Foncé	obscuro	obsk**o**uro
Frange	el flequillo	flék**i**yo
	(*AmL* : la chasquilla)	tchask**i**ya
Friction	una fricción	frikçi**o**nn
Front	la frente	fr**é**nnté
Henné	el hené	én**é**
Laque	la laca, el fijador	l**a**ka, fi'rhad**o**r
Long	largo	l**a**rgo
Manucure	la manicura	manik**o**ura
Mèche	una mecha	m**é**tcha
Mise en plis	un marcado	mark**a**do
	(*AmL* : un peinado)	p**é**inado
Nacré	nacarado	nakar**a**do
Nuance	un matiz, tinte	matiç, t**i**nnté
Nuque	la nuca	n**o**uka
Ondulations	ondulaciones	onndoulaçi**o**néss
Oreilles	las orejas	or**é**'rhass
Pédicure	el pedicuro	péd**i**kouro
Peigne	un peine	p**é**iné
	(*AmL* : una peineta)	p**é**in**é**ta
Permanente	una permanente	pérman**é**nnté
Perruque	una peluca	pél**o**uka
Poil	un pelo, vello	p**é**lo, v**é**yo

Raie	la raya	rraya
Raser	afeitar	aféitar
Rasoir	una máquina de afeitar	makina dé aféitar
Retouche	un retoque	rrétoké
Savon	el jabón	rhabonn
Séchoir	el secador de pelo	sékador dé pélo
Shampooing	el champú	tchampou
Teinture	una tintura	tinntoura
Vernis	un barniz	barniç

Crémerie

lechería   létchéria

Vous ne pouvez songer à trouver en Espagne ou en Amérique latine la même variété de fromages et de produits laitiers qu'en France. En outre, crémier et fromager ne constituent généralement pas des magasins spécialisés, ce ne sont que des rayons dans des supermarchés, ou alors ils s'intègrent à des magasins d'alimentation générale.

L'indispensable

Bonjour !
¡ Buenos días !
¡ bouénoss diass !

Je voudrais **acheter**...
Quisiera comprar...
kissiéra komprar...

J'**aimerais**...
Me gustaría...
mé goustaría...

Auriez-vous... ?
¿ Tendría usted... ?
¿ ténndria oustéd... ?

Cela me **convient**.
Así está bien.
assi ésta biénn.

Combien cela **coûte**-t-il ?
¿ Cuánto vale ésto ?
¿ kouannto valé ésto ?

Puis-je **goûter** ?
¿ Puedo probar ?
¿ pou**é**do probar ?

Moins cher... **moins** gros.
Menos caro... menos grande.
m**é**noss karo... m**é**noss grann dé.

Pouvez-vous me **montrer** autre chose ?
¿ Puede usted enseñarme otra cosa ?
¿ pou**é**dé oust**é**d énnségnarmé otra kossa ?

Merci, au revoir.
Gracias, adiós (hasta luego).
gra**ç**iass, adi**o**ss (**a**sta lou**é**go).

Vocabulaire

Beurre	la mantequilla	mannt**é**kiya
	(*Arg* : la manteca)	mannt**é**ka
— salé	— — salada	— sal**a**da
Bouteille	una botella	bot**é**ya
Crème	la crema	kr**é**ma
Frais	fresco	fr**é**sko
Fromage blanc	el queso fresco	él k**é**sso fr**é**sko
— français	— — francés	— frann**ç**ess
— local	— — local	— lok**a**l
— râpé	— — rallado	— ray**a**do
Lait écrémé	la leche descremada	l**é**tché déskrém**a**da
— entier	— — entera	— énnt**é**ra
— pasteurisé	— — pasteurizada	— pastéouri**ç**ada
Litre de...	un litro de...	l**i**tro d**é**...
Œufs	unos huevos	ou**é**voss
— (douzaine d')	una docena de...	do**ç**éna d**é**...
Yoghourt	un yogur	yog**ou**r

Cultes

cultos religiosos   k**ou**ltoss rréli'rh**io**ssoss

La religion catholique est amplement majoritaire en Espagne et en Amérique latine. Vous aurez, par conséquent, de nombreuses occasions d'assister à des fêtes religieuses tantôt imposantes, tantôt pittoresques, et souvent, en Amérique latine, enrichies de certaines manifestations précolombiennes.

Dans tous les cas, il s'agit toujours de cérémonies d'une grande ferveur et d'une profonde émotion, et il est conseillé d'y assister dans le plus grand respect des traditions locales et des fidèles qui en sont les protagonistes.

En situation

Donne-t-on des concerts dans cette **chapelle** ?
¿ Hay conciertos en esta capilla ?
¿ a**ï** konnçi**é**rtoss **é**nn **é**sta kap**i**ya ?

Cette église est-elle encore destinée au **culte** ?
¿ Hay todavía oficios religiosos en esta iglesia ?
¿ a**ï** todav**i**a ofi**ç**ioss rréli'rh**io**ssoss **é**nn **é**sta igl**é**ssia ?

Pouvez-vous me dire où se trouve l'**église** la plus
   proche... la cathédrale ?
¿ Puede usted decirme dónde se encuentra la iglesia más
   cercana... la catedral ?
¿ pou**é**d**é** oust**é**d dé**ç**irm**é** d**o**nnd**é** s**é** énnkou**é**nntra la igl**é**ssia
   mass **ç**érk**a**na... la kat**é**dr**a**l ?

J'aimerais connaître l'**horaire** des offices.
Me gustaría saber el horario de los oficios.
m**é** goustar**i**a sab**é**r **é**l or**a**rio d**é** loss ofi**ç**ioss.

Y a-t-il des **offices** chantés ?
¿ Hay oficios cantados ?
¿ **aï** ofiçioss kanntadoss ?

Je cherche un **pasteur**... un **prêtre**... un **rabbin**... parlant français.
Busco a algún pastor... sacerdote... rabino... que hable francés.
bo**u**sko a alg**ou**nn past**o**r... saç**è**rd**o**té... rrabino... kè **a**blé frannç**è**ss.

A quelle heure l'église est-elle **ouverte** au public ?
¿ A qué hora se puede visitar la iglesia ?
¿ a kè **o**ra sé pou**è**dé vissit**a**r la igl**è**ssia ?

Vocabulaire

Anglican	anglicano	annglik**a**no
Cathédrale	la catedral	kat**é**dr**a**l
Catholique	católico	kat**o**liko
Chapelle	la capilla	kap**i**ya
Chrétien	cristiano	kristi**a**no
Communion	la comunión	komouni**o**nn
Confession	la confesión	konnf**é**ssionn
Culte	un culto	k**o**ulto
Dieu	Dios	di**o**ss
Divin	divino	divino
Dogme	un dogma	d**o**gma
Église	la iglesia	igl**è**ssia
Hérésie	una herejía	èrè'rh**i**a
Israélite	israelita	isrra**é**lita
Juif	judío	rhoud**i**o
Libre penseur	un libre pensador	libré p**é**nnsad**o**r
Messe	la misa	m**i**ssa
Mosquée	la mezquita	méçk**i**ta
Musulman	musulmán	moussoulm**a**nn
Office	un oficio	ofi**ç**io
Orthodoxe	ortodoxo	ortod**o**kso
Païen	pagano	pag**a**no
Pasteur	un pastor	past**o**r

Presbytère	el presbiterio	présbitério
Prêtre	un sacerdote	saçérdoté
Prière	una oración	oraçionn
Profane	profano	profano
Prophète	un profeta	proféta
Protestant	protestante	protéstannté
Quête	una colecta	kolékta
Rabbin	un rabino	rrabino
Religion	la religión	rréli'rhionn
Saint	un santo	sannto
Secte	una secta	sékta
Sermon	un sermón	sérmonn
Synagogue	la sinagoga	sinagoga
Temple	el templo	témplo

Distractions

distracciones distrakçionéss
SPECTACLES
espectáculos éspéktakouloss

En Espagne et en Amérique latine, vous aurez d'innombrables occasions d'assister à des fêtes et à des spectacles d'une grande qualité.

Les quatre principales fêtes espagnoles sont :
— la Semaine sainte en Andalousie, mais aussi en Castille (Valladolid, Zamora) ;
— les « fallas » de Valence (vers le 19 mars) ;
— la Foire d'avril, à Séville ;
— la Saint-Firmin à Pampelune (le 7 juillet), où les jeunes garçons courent devant les taureaux lâchés dans les rues de la ville.

Mais le spectacle par excellence est sans aucun doute la *corrida*. Toute l'Espagne vibre et se passionne pour la tauromachie, considérée comme un véritable art fait de talent et de courage. Nous ne saurions trop vous conseiller d'assister à une corrida. Malgré son côté cruel, vous vous laisserez certainement emporter par la ferveur et la passion des spectateurs.

Au Mexique vous aurez aussi l'occasion d'assister à des corridas, ou à d'autres spectacles organisés autour de l'homme et du taureau, ou de l'homme et du cheval (courses de taureaux, *charreadas*, etc.). Le cheval est souvent au centre des fêtes campagnardes latino-américaines (courses, rodeos), surtout dans la partie sud de l'Amérique du Sud (Argentine, Chili).

Toutefois, ce sont les fêtes folkloriques et religieuses qui méritent votre attention en Amérique latine. Renseignez-vous sur les dates des grandes festivités religieuses locales et essayez d'assister au moins à une représentation folklorique de qualité (le Ballet Folklórico Nacional au Palacio de Bellas Artes de Mexico, par exemple).

En situation

A quelle heure **commence** le concert... le film... la pièce ?
¿ A qué hora empieza el concierto... la película... la obra ?
¿ a ké **o**ra émpi**è**ça él konnçi**è**rto... la pélikoula... la **o**bra ?

Combien **coûtent les places** ?
¿ Cuánto valen las localidades ?
¿ kou**a**nnto val**é**nn lass lokalid**a**déss ?

Peut-on **danser** toute la nuit dans cette boîte ?
¿ Se puede bailar toda la noche en esta boîte ?
¿ sé pou**è**dé baïl**a**r t**o**da la n**o**tché énn **è**sta bou**a**t ?

Que **donne**-t-on ce soir, au cinéma... au théâtre ?
¿ Qué ponen (dan) esta noche en el cine... en el teatro ?
¿ ké p**o**nénn (dann) **è**sta n**o**tché énn él çin**è**... énn él t**é**atro ?

Le **film** est-il en version originale ?
¿ La película es en versión original ?
¿ la pélik**ou**la éss énn vérsi**o**nn ori'rhin**a**l ?

Quel est le **groupe**... la troupe qui joue ce soir ?
¿ Qué grupo... qué compañía actúa esta noche ?
¿ ké gr**ou**po... ké kompagn**i**a akt**ou**a **è**sta n**o**tché ?

A quelle heure **ouvrent** les boîtes de nuit... les cabarets... les discothèques ?
¿ A qué hora abren las boîtes... los cabarets... las discotecas ?
¿ a ké **o**ra abr**é**nn lass bou**a**t... loss kabar**è**... lass diskot**é**kass ?

Nous avons besoin d'un **partenaire** pour jouer.
Necesitamos a un compañero para actuar (théâtre), tocar (musique), jugar (sport, jeux).
néçéssit**a**moss a ounn kompagn**è**ro p**a**ra aktou**a**r... tok**a**r... rhoug**a**r.

Est-ce un spectacle **permanent** ?
¿ Es un espectáculo contínuo ?
¿ éss ounn éspéktak**ou**lo konntin**ou**o ?

Je voudrais une... deux **places**... entrées.
Quisiera una... dos localidades... entradas.
kissiéra **ou**na... doss lokalid**a**déss...**é**nntr**a**dass.

Avez-vous le **programme** des spectacles ?
¿ Tiene usted la cartelera de espectáculos ?
¿ ti**é**né oust**é**d la kart**é**l**é**ra dé éspékt**a**kouloss ?

Où peut-on **réserver** des places ?
¿ Dónde se pueden reservar localidades ?
¿ d**o**nndé sé pou**é**dénn rréss**é**rvar lokalid**a**déss ?

Pouvez-vous m'indiquer les **salles de jeux**... le casino ?
¿ Puede usted indicarme las salas de juego... el casino ?
¿ pou**é**dé oust**é**d inndik**a**rmé lass s**a**lass dé rhou**é**go... **é**l
   kassino ?

Faut-il une **tenue de soirée** ?
¿ Hace falta un traje de noche ?
¿ **a**çé f**a**lta ounn tra'rhé dé n**o**tché ?

Vocabulaire

Acte	un acto	**a**kto
Acteur	un actor	akt**o**r
Actrice	una actriz	aktri**ç**
Amusant	divertido, cómico	div**e**rtido, k**o**miko
Arène	la arena	ar**é**na
Artiste	un artista	artista
Auteur	el autor	aout**o**r
Balcon	el balcón	balk**o**nn
Ballet	un ballet	bal**é**
Belle (la)	el desempate	déss**é**mpat**é**
Billard	un billar	biy**a**r
Billet	una localidad, entrada	lokalid**a**d, **é**nntrada
Boîte de nuit	la boîte	bou**a**t
	(*AmL :* un nightclub)	na**ï**tkleub
Bridge	el bridge	bridge
Cabaret	un cabaret	kabar**é**
Cantatrice	una cantante	kannt**a**nnté
Cartes (jeu de)	los naipes, las cartas	na**ï**péss, k**a**rtass

Casino	el casino	kassino
Chanteur	un cantante	kanntannté
Chef d'orchestre	un director de orquesta	dirèktor dé orkèsta
Cinéma de plein air	un cine al aire libre	çiné al aïré libré
— en salle	un cine	çiné
Cirque	el circo	çirko
Comédie	una comedia	komédia
COMPLET	COMPLETO	komplèto
Compositeur	el compositor	kompossitor
Concert	un concierto	konnçièrto
Costumes	los trajes	tra'rhèss
Coulisses	los bastidores	basstidorèss
Critique	la crítica	kritika
Dames (jeu de)	las damas	damass
Danse	la danza	dannça
— classique	el baile, la danza clásico(a)	baïlé, dannça klassiko(a)
— folklorique	— —, — — folklórico(a)	— — folkloriko(a)
Danseur	un bailarín	baïlarinn
Danseuse	una bailarina	baïlarina
Décor	el decorado	dékorado
Dés (jeu de)	los dados	dadoss
Distraction	una distracción	distrakçionn
Divertissant	entretenido	énntréténido
Documentaire	un documental	dokoumènntal
Drame	un drama	drama
Drôle	cómico	komiko
Échecs (jeu d')	el ajedrez	a'rhédrèç
Écouter	escuchar	éskoutchar
Écran	la pantalla	panntaya
	(*AmL* : el telón)	télonn
Entracte	el entreacto, intermedio	énntréakto, inntèrmédio
ENTRÉE	ENTRADA	énntrada
Fauteuil d'orchestre	una butaca de patio	boutaka dé patio
	(*AmL* : un sillón de orquesta)	siyonn dé orkèsta
FERMÉ	CERRADO	çèrrado
File d'attente	la cola de espera	kola dé èspèra
Gagner	ganar	ganar

Gai	alegre	alégré
Galerie	la galería	galéria
Gradins	las graderías	gradériass
Groupe	el grupo	groupo
Guichet	la taquilla, ventanilla	takiya, vénntaniya
	(*AmL* : la boletería)	bolétéria
Hall	el hall	ol
INTERDIT AUX MOINS DE DIX-HUIT ANS	PROHIBIDO A LOS MENORES DE DIECIOCHO AÑOS	proïbido a loss ménoréss dé diéçiotcho agnoss
Intéressant	interesante	inntéréssannté
Jeton	una ficha	fitcha
Jeux de hasard	los juegos de azar	rhouégoss dé açar
Jouer	jugar	rhougar
Lecture	la lectura	léktoura
Livret	el libreto	librèto
Loge	el palco	palko
Loto	la lotería	lotéria
Lyrique	lírico	liriko
Maison de jeux	un establecimiento de juegos	éstabléçimiénnto dé rhouégoss
Marionnettes	los títeres, las marionetas	titéréss, marionétass
Matinée	la función de la tarde	founnçionn dé la tardé
	(*AmL* : la matinée)	matiné
Metteur en scène	el director, realizador	dirèktor, rréaliçador
Musiciens	los músicos	moussikoss
Opéra	una ópera	opéra
Opérette	una opereta	opéréta
Parterre	la platea	platéa
Partie	una partida	partida
Perdre	perder	pérdèr
Permanent	continuo	konntinouo
	(*AmL* : rotativo)	rrotativo
Pièce	una obra	obra
Pion	un peón	péonn
Piste	la pista	pista
Poulailler	el gallinero	gayinéro
POUR ADULTES	SOLO PARA ADULTOS	solo para adoultoss
Programme	el programa	programa

Rang	la fila	fíla
Représentation	una función	founnçíonn
Réservation	una reserva	rrèssérva
Revue	la revista	rrévista
Rideau	el telón	télonn
Rôle	un papel	papél
Roulette (jeu)	la ruleta	rroulèta
Salle	la sala	sala
Scène	el escenario	éçénario
Soirée	la función de la noche	founnçionn dé la notché
Sous-titres	los subtítulos	soubtitouloss
Spectacle	espectáculo	éspèktakoulo
Succès	un éxito	éksito
Tragédie	una tragedia	tra'rhédia
Triste	triste	tristé
Vedette	la vedette	védèt
Version originale	versión original	vèrsionn ori'rhinal

Douane

aduana   adouana
IMMIGRATION
inmigración   innmigraçionn

Les ressortissants de la Communauté européenne peuvent entrer en Espagne avec leur carte nationale d'identité ou leur passeport périmé depuis moins de cinq ans.

Les automobilistes doivent être en possession du permis de conduire international ou du permis français à trois volets, ainsi que de la carte verte de la voiture (carte internationale d'assurance).

Quant aux pays d'Amérique latine, la plupart d'entre eux exigent un visa. Renseignez-vous auprès du Consulat du pays concerné.

En outre, le permis de conduire n'est généralement pas reconnu, il faut vous faire établir un permis international (renseignez-vous à la préfecture de Police ou à la mairie de votre lieu de résidence).

En situation

Je n'ai que des **affaires personnelles**.
Sólo tengo objetos personales.
solo ténngo ob'rhétoss pèrsonaléss.

Ce **bagage** n'est pas à moi.
Este equipaje no es mío.
ésté ékipa'rhé no èss mio.

Il y a seulement quelques **cadeaux**.
Hay solamente algunos regalos.
aï solaménnté algounoss rrégaloss.

Excusez-moi, je ne **comprends** pas.
Discúlpeme pero no entiendo.
diskoulpémé péro no énntiénndo.

Je n'ai rien à **déclarer**.
No tengo nada que declarar.
no ténngo nada ké déklarar.

J'ai oublié les papiers de **dédouanement** de mon
  appareil.
He olvidado los certificados aduaneros de mi cámara.
é olvidado loss çértifikadoss adouanéross dé mi kamara.

Pourriez-vous m'aider à remplir le **formulaire** ?
¿ Podría usted ayudarme a llenar el formulario ?
¿ podria oustéd ayoudarmé a yénar él formoulario ?

> **Ouvrez** le coffre... la valise... le sac.
> Abra el portaequipajes... la maleta... el bolso.
> abra él portaékipa'rhèss... la malèta... él bolso.

> **Où** logerez-vous ?
> ¿ Dónde va a alojarse ?
> ¿ donndé va a alo'rharsé ?

Voici les **papiers** de la voiture.
Aquí tiene los documentos del coche.
aki tiéné loss dokouménntoss dél kotché.

Puis-je **partir** ?
¿ Puedo irme ?
¿ pouédo irmé ?

> Vous devez **payer** des droits sur cela.
> Usted debe pagar derechos por ésto.
> oustéd débé pagar dérétchoss por ésto.

Je **reste** jusqu'à...
Me quedo hasta...
mé kédo asta...

Je suis **touriste**.
Soy turista.
soï tourista.

Je suis en **transit**, je vais à...
Estoy de paso, voy a...
éstoï dé passo, voï a...

Je **viens** de...
Vengo de...
vénngo dé...

Je **voyage pour affaires**.
Viajo por negocios.
via'rho por négoçioss.

Vocabulaire

Adresse	la dirección	dirékçionn
Alcool	el alcohol	alkol
Carte grise	los documentos del coche	dokouménntoss dél kotché
Cartouche	un cartón de cigarrillos	kartonn dé çigarriyoss
Célibataire	soltero(a)	soltéro(a)
Certificat d'assurances	el certificado de seguros	çértifikado dé ségouross
— de vaccination	— — de vacunación	— — dé vakounaçionn
Choléra	el cólera	koléra
Cigarettes	los cigarrillos	çigarriyoss
CONTRÔLE DES PASSEPORTS	CONTROL DE PASAPORTES	konntrol dé passaportéss
Date de naissance	la fecha de nacimiento	fétcha dé naçimiénnto
Domicile	el domicilio	domiçilio
DOUANE	ADUANA	adouana
Droits de douane	los derechos de aduana	dérétchoss dé adouana
Fièvre jaune	la fiebre amarilla	fièbré amariya
Lieu de naissance	el lugar de nacimiento	lougar dé naçimiénnto
Marié(e)	casado(a)	kassado(a)
Nom de jeune fille	el apellido de soltera	apéyido dé soltéra
Parfum	el perfume	pérfoumé
Passeport	el pasaporte	passaporté
Permis de conduire	el carné (permiso, la licencia) de conducir	karné, pérmisso, liçénnçia dé konndouçir
	(*Aml* : el carné de manejar)	— dé mané'rhar

Pièces d'identité	los documentos, el carné de identidad	dokouménntoss, karné dé idénntidad
	(*AmL* : la cédula de identidad)	çédoula dé...
Plaque d'immatriculation	la matrícula (*AmL* : la patente)	matrikoula paténnté
Profession	la profesión	proféssionn
Retraité	jubilado	rhoubilado
Sexe	sexo	sékso
Soumis aux droits de douane	sujeto a derechos de aduana	sou'rhéto a dérétchoss dé adouana
Souvenir	un souvenir, recuerdo	souvénir, rrékouérdo
Tabac	el tabaco	tabako
Variole	la viruela	virouéla
Vin	el vino	vino

Épicerie

tienda de comestibles   tiènnda dè koméstiblèss
BOISSONS
bebidas   bébidass

L'indispensable

Bonjour !
¡ Buenos días !
¡ bouénoss diass !

Je voudrais **acheter**...
Quisiera comprar...
kissièra komprar...

J'aimerais...
Me gustaría...
mé goustaria...

Auriez-vous... ?
¿ Tendría usted... ?
¿ ténndria oustèd... ?

Avez-vous un **article** meilleur marché ?
¿ Tiene usted algún artículo más barato ?
¿ tiènè oustèd algounn artikoulo mass barato ?

Cela me **convient**.
Así está bien.
assi èsta biènn.

Combien cela **coûte**-t-il ?
¿ Cuánto vale ésto ?
¿ kouannto valé ésto ?

Moins cher... **moins** grand.
Menos caro... menos grande.
ménoss karo... ménoss granndé.

Pouvez-vous me **montrer** autre chose ?
¿ Puede usted enseñarme otra cosa ?
¿ pou**é**dé oust**é**d énnség**n**armé **o**tra k**o**ssa ?

Plus grand... **plus** petit.
Más grande... más pequeño.
mass gr**a**nndé... mass pék**é**gno.

Merci, au revoir.
Gracias, adiós (hasta luego).
gra**ç**iass, adi**o**ss (**a**sta lou**é**go).

Vocabulaire

Apéritif	un aperitivo	apéri**ti**vo
Biscotte	pan tostado, biscotte	pann tost**a**do, bisk**o**t
Biscuit	una galleta	gay**è**ta
Boîte de carottes	una lata de zanahorias	l**a**ta dè çana**o**riass
— de haricots en grain	— — de judías	— dè rhoudi**a**ss
	(*Mex* : — — de frijoles)	— dè fri'rhol**é**ss
	(*AmL* : — — de porotos)	— dè por**o**toss
— de haricots verts	— — de judías verdes	— dè rhoudi**a**ss v**é**rdéss
— de lentilles	— — de lentejas	— dè lénnt**é**'rhass
— de petits pois	— — de guisantes	— dè guiss**a**nntéss
	(*AmL* : — — de arvejas)	— dè arv**è**'rhass
Bouchon	un corcho, tapón	k**o**rtcho, tap**o**nn
Bouteille	una botella	bot**è**ya
Café	café	kaf**é**
Carton	una caja de cartón	ka'rha dè kart**o**nn
Chocolat en poudre	chocolate en polvo	tchokol**a**té énn p**o**lvo
— en tablette	una tableta de chocolate	tabl**è**ta dè...
Confiture	mermelada	mèrmél**a**da
Eau minérale gazeuse	agua mineral gaseosa	**a**goua min**é**ral gassé**o**ssa
— — plate	— — sin gas	— — sinn g**a**ss
Eau-de-vie	el aguardiente	agouardi**è**nnté
	(*Pér* : el pisco)	p**i**sko

Épices	las especias, los aliños	éspéçiass, alignoss
Huile	el aceite	açéité
Jus de fruits	un zumo de fruta	çoumo dé frouta
	(*AmL* : un jugo de fruta)	rhougo dé frouta
Lait	la leche	létché
— en poudre	— — en polvo	— énn polvo
Limonade	la limonada	limonada
Miel	la miel	miél
Moutarde	la mostaza	mostaça
Panier	una cesta	çésta
	(*AmL* : un canasto)	kanasto
Pâtes	los tallarines	tayarinéss
	(*AmL* : los fideos)	fidéoss
Poivre	la pimienta	pimiénnta
Potage	una sopa	sopa
Riz	el arroz	arroç
Sac	una bolsa	bolsa
Sachet	un sobre	sobré
Sel	la sal	sal
Sucre en morceaux	el azúcar (en terrones)	açoukar énn térronéss
— en poudre	— — en polvo	— énn polvo
Thé	el té	té
— noir	— — negro	— négro
— vert	— — verde	— vérdé
Vin	el vino	vino
— blanc	— — blanco	— blannko
— rouge	— — tinto	— tinnto
Vinaigre	el vinagre	vinagré

Expressions usuelles

expresiones usuales   èksprèssionéss oussoualéss

Vocabulaire

A	a, en	a, énn
A cause de	a causa de, por	a kaoussa dé, por
A côté de	al lado de	al lado dé
A droite	a la derecha	a la dérètcha
A gauche	a la izquierda	a la içkiérda
Ainsi	así	assi
Alors	entonces	énntonnçéss
Ancien	antiguo	anntigouo
A peine	a penas	a pénass
Après	después	déspouèss
Assez	bastante	bastannté
A travers	a través	a travèss
Au contraire	al contrario	al konntrario
Au-dessous	debajo	dèba'rho
Au-dessus	encima	énnçima
Au milieu de	al (en) medio de	al (énn) médio dé
Autant	tanto	tannto
Autant que	tanto como	tannto komo
Autour	alrededor	alrrèdédor
Avant	antes	anntèss
Avec	con	konn
Beau	hermoso, bello, bonito	érmosso, bèyo, bonito
	(AmL : lindo)	linndo
Bientôt	luego	louégo
Bon appétit	buen provecho	bouénn provétcho
Bonjour	buenos días	bouénoss diass
Bon marché	barato	barato
Bonne nuit	buenas noches	bouénass notchéss
Bonsoir	buenas tardes	bouénass tardéss

Ça ne fait rien	no importa	no importa
	(*Mex* : ni modo)	ni modo
Ça suffit	basta, es suficiente	basta, éss soufiçiénnté
Car	pues, ya que	pouéss, ya ké
Ce, cet, cette	este, este, esta	ésté, ésté, ésta
Cela m'est égal	me da lo mismo	mé da lo mismo
Cela va de soi	es evidente	éss évidénnté
Celui-ci, celle-ci	éste, ésta	ésté, ésta
Ceux-ci, celles-ci	éstos, éstas	éstoss, éstass
Cependant	sin embargo	sinn émbargo
Certainement	por supuesto, seguro	por soupouésto, ségouro
C'est	es	éss
Ce n'est pas	no es	no éss
C'est à moi	es mío	éss mio
C'est à lui	es suyo	éss souyo
C'est à elle	es suyo	éss souyo
Chacun	cada uno	kada ouno
Chaque	cada	kada
Chaud	caliente	kaliénnté
Cher	caro	karo
Combien ?	¿ cuánto ?	kouannto
Comment ?	¿ cómo ?	komo
Comprends (je)	entiendo	énntiénndo
Comprends pas (je ne)	no entiendo	no énntiénndo
D'accord	de acuerdo	dé akouérdo
Davantage	más	mass
Debout	de pie	dé pié
Dedans	adentro	adénntro
Dehors	afuera	afouéra
Déjà	ya	ya
Dépêchez-vous	i de prisa !	dé prissa
	(*AmL* : apúresse)	apouréssé
Depuis	desde	désdé
Derrière	detrás	détrass
Dessous	debajo	déba'rho
Dessus	encima	énnçima
De temps en temps	de vez en cuando	dé véç énn kouanndo

Devant	delante	dèlannté
Difficile	difícil	difiçil
En arrière	atrás	atrass
En avant	adelante	adélannté
En bas	abajo	aba'rho
En dehors	afuera	afouèra
En effet	en realidad, en efecto	énn rréalidad, énn éfékto
En face de	frente a	frènnté a
En haut	arriba	arriba
Est-ce	es	éss
Est-ce pas (n')	¿ verdad ?	vérdad
	(*AmL* : ¿ no es cierto ?)	no éss çièrto
Et	y	i
Facile	fácil	façil
Faim (j'ai)	tengo hambre	tènngo ambré
Fatigué (je suis)	estoy cansado	éstoï kannsado
Faux	falso	falso
Fermé	cerrado	çèrrado
Froid	frío	frio
Gentil	amable	amablé
Grand	grande	grannde
Ici	aquí	aki
	(*AmL* : acá)	aka
Il y a	hay	aï
Il n'y a pas	no hay	no aï
Importance (sans)	sin importancia	sinn importannçia
Important (c'est)	es importante	éss importannté
Impossible (c'est)	es imposible	éss impossiblé
Jamais	nunca, jamás	nounnka, rhamass
Jusqu'à	hasta	asta
Jeune	joven	rhovènn
Juste	justo	rhousto
Là	allí, ahí	ayi, aï
Là-bas	allá	aya
Laid	feo	féo
Léger	ligero	li'rhèro
	(*AmL* : liviano)	liviano
Lequel, laquelle	cuál	koual

Lesquels, lesquelles	cuáles	koualèss
Loin	lejos	lè'rhoss
Longtemps	mucho tiempo	moutcho tièmpo
Lourd	pesado	péssado
Maintenant	ahora (*Mex* : ahorita)	aora, aorita
Malgré	a pesar de	a péssar dé
Mauvais	malo	malo
Méchant	malo	malo
Meilleur	mejor	mé'rhor
Nouveau	nuevo	nouévo
Ou	o	o
Où	dónde	donndé
Ou bien	o bien	o biènn
Ouvert	abierto	abièrto
Par	por	por
Parce que	porque	porké
Par exemple	por ejemplo	por é'rhèmplo
Parfois	a veces	a véçéss
Par ici	por aquí	por aki
Parmi	entre	ènntré
Partout	por (en) todas partes	por (ènn) todass partèss
Pas assez	no suficientemente	no soufiçiènntémènnté
Pas du tout	en absoluto	énn absolouto
Pas encore	todavía no	todavia no
Pas tout à fait	no del todo	no dèl todo
Pendant	durante	douranntè
Petit	pequeño (*AmL* : chico)	pékègno tchiko
Peu	poco	poko
Peut-être	quizá(s)	kiça(ss)
Pire	peor	péor
Plusieurs fois	varias veces	variass véçéss
Pour	para	para
Pourquoi ?	¿ por qué ?	por ké
Près	cerca	çérka
Presque	casi	kassi
Probablement	probablemente	probablémènnté
Puis-je ?	¿ puedo ?	pouédo

Quand pouvez-vous ?	¿ cuándo puede usted ?	kouanndo pouédé ousted
Quel, quelle	qué	ké
Quelquefois	a veces	a véçéss
Qui ?	¿ quién(es) ?	kiénn(éss)
Quoi ?	¿ qué ?	ké
Quoique	aunque	aounnké
Sans	sin	sinn
Sans doute	sin duda	sinn douda
Si	si	si
Sommeil (j'ai)	tengo sueño	ténngo souégno
Sous	bajo	ba'rho
Sous peu	dentro de poco	dénntro dé poko
Sur	sobre	sobré
Tant	tanto	tannto
Tant mieux	tanto mejor	tannto mé'rhor
Tant pis	tanto peor, mala suerte	tannto péor, mala souérté
Tard	tarde	tardé
Temps (je n'ai pas le)	no tengo tiempo	no ténngo tiémpo
Tôt	temprano	témprano
Très	muy	moui
Très bien, merci	muy bien, gracias	moui biénn, graçiass
Trop	demasiado	démassiado
Urgent (c'est)	es urgente	éss our'rhénnté
Vers	hacia	açia
Veux pas (je ne)	no quiero	no kiéro
Vieux	viejo	vié'rho
Vis-à-vis	respecto à	rréspékto a
Vite	rápidamente (rápido)	rrapidaménnté, rrapido
Voici	aquí tiene	aki tiéné
Volontiers	con mucho gusto	konn moutcho gousto
Y a-t-il ?	¿ hay ?	aï

Famille

familia   familia
PARENTÉ
parentezco   parènntéçko

La famille espagnole et latino-américaine est beaucoup plus solidaire et unie que ce que nous connaissons chez nous. Il est fréquent que la cellule familiale accueille des parents plus ou moins proches (oncles, cousins...) qui pour des raisons diverses (financières ou autres) vivent sous le même toit.

Les grands-parents partagent très souvent le domicile de l'un ou l'autre de leurs enfants. Le respect dont ils sont l'objet mérite toute notre admiration. De ce fait, l'enfant espagnol ou latino-américain est toujours très entouré et les relations familiales sont d'une grande richesse, même dans des situations d'une extrême précarité.

Vocabulaire

Adultes	los adultos	adooltoss
Beau-frère	el cuñado	kougnado
Beau-père	el suegro	souègro
Belle-fille	la nuera	nouèra
Belle-mère	la suegra	souègra
Célibataire	soltero(a)	soltèro(a)
Cousin(e)	el primo, la prima	primo(a)
Décès	el fallecimiento	fayéçimiènnto
Descendants	los descendientes	dèçènndiènntèss
Divorce	el divorcio	divorçio
Enfants	los hijos	i'rhoss
Famille	la familia	familia
Femme (générique)	la mujer	mou'rhèr

Femme (épouse)	la esposa, señora	éspossa, ségnora
Fiançailles	los esponsales	ésponnsaléss
Fiancé(e)	el novio, la novia	novio(a)
Fille	la hija	i'rha
Fils	el hijo	i'rho
Frère	el hermano	érmano
Garçon	un chico, muchacho	tchiko, moutchatcho
Gendre	el yerno	yérno
Grand-mère	la abuela	abouéla
Grand-père	el abuelo	abouélo
Grands-parents	los abuelos	abouéloss
Homme	el hombre	ombré
Mari	el marido, esposo	marido, ésposso
Mariage	la boda, el matrimonio	boda, matrimonio
Marié(e)	casado(a)	kassado(a)
Mère	la madre	madré
Naissance	el nacimiento	naçimiénnto
Neveu	el sobrino	sobrino
Nièce	la sobrina	sobrina
Nom	el apellido	apéyido
Nourrisson	un recién nacido	rréciénn naçido
Oncle	el tío	tio
Parenté	el parentezco	parénntéçko
Parents (père et mère)	los padres	padréss
— (famille)	los parientes	pariénntéss
Père	el padre	padré
Petite-fille	la nieta	niéta
Petit-fils	el nieto	niéto
Prénom	el nombre (de pila)	nombré (dé pila)
Séparé(e)	separado(a)	séparado(a)
Sœur	la hermana	érmana
Tante	la tía	tia

Fleuriste

florista   florista

L'indispensable

Bonjour !
¡ Buenos días !
¡ bouénoss diass !

Je voudrais **acheter**...
Quisiera comprar...
kissiéra komprar...

J'**aimerais**...
Me gustaría...
mé goustaría...

Auriez-vous... ?
¿ Tendría usted... ?
¿ ténndría oustéd... ?

Cela me **convient**.
Así está bien.
assí ésta biènn.

Combien cela **coûte**-t-il ?
¿ Cuánto vale ésto ?
¿ kouannto valé ésto ?

Avez-vous des **fleurs** meilleur marché ?
¿ Tiene usted flores más baratas ?
¿ tiéné oustéd floréss mass baratass ?

Moins chères... **moins** grandes.
Menos caras... menos grandes.
ménoss karass... ménoss granndéss.

Pouvez-vous me **montrer** autre chose ?
¿ Puede usted enseñarme otra cosa ?
¿ pouédè oustéd énnségnarmé otra kossa ?

Merci, au revoir,
Gracias, adiós (hasta luego).
graçiass, adioss (asta louégo).

En situation

Où puis-je trouver un fleuriste ?
¿ Dónde puedo encontrar un florista ?
¿ donndè pouédo énnkonntrar ounn florista ?

Faites-moi un **bouquet** de fleurs de saison.
Hágame un ramo de flores de estación.
agamé ounn rramo dè floréss dè éstaçionn.

Pouvez-vous les **envoyer** à l'adresse suivante ?
¿ Puede usted enviarlas a esta dirección ?
¿ pouédè oustéd énnviarlass a ésta dirékçionn ?

Raccourcissez les tiges, s'il vous plaît.
Corte un poco los tallos, por favor.
korté ounn poko loss tayoss, por favor.

Vocabulaire

Bouquet	un ramo, ramillete	rramo, rramiyété
Corbeille (de fleurs)	un canastillo	kanastiyo
Douzaine	una docena	doçéna
Demi-douzaine	una media docena	média doçéna
Feuille	una hoja	o'rha
Feuillage	el follaje	foya'rhé
Fleurs	las flores	floréss
Gerbe	un ramo	rramo
Mélange	un surtido	sourtido
Plante verte	una planta	plannta
Quelques fleurs	algunas flores	algounass floréss
Tige	el tallo	tayo
Vase	un florero	floréro

Fruits et légumes

frutas y verduras   froutass i vérdourass

L'indispensable

Bonjour !
¡ Buenos días !
¡ bouénoss diass !

Je voudrais **acheter**...
Quisiera comprar...
kissiéra komprar...

J'**aimerais**...
Me gustaría...
mé goustaria...

Auriez-vous... ?
¿ Tendría usted... ?
¿ ténndria oustéd... ?

Cela me **convient**.
Así está bien.
assi ésta biènn.

Combien cela **coûte**-t-il ?
¿ Cuánto vale ésto ?
¿ kouannto valé ésto ?

Moins cher... **moins** mûrs.
Menos caro... menos maduros.
ménoss karo... ménoss madouross.

Pouvez-vous me **montrer** autre chose ?
¿ Puede usted enseñarme otra cosa ?
¿ pouédé oustéd énnségnarmé otra kossa ?

Plus grand... **plus** petit.
Más grande... más pequeño.
mass granndé... mass pékégno.

Avez-vous une **qualité** meilleur marché ?
¿ Tiene usted algo más barato ?
¿ tiéné oustéd algo mass barato ?

Merci, au revoir.
Gracias, adiós (hasta luego).
graçiass, adioss (asta louégo).

Vocabulaire

Abricot	un albaricoque	albarikoké
	(*AmL* : un damasco)	damasko
Ail	el ajo	a'rho
Ananas	una piña, un ananás	pigna, ananass
Artichaut	una alcachofa	alkatchofa
Asperge	un espárrago	ésparrago
Aubergine	una berenjena	bérénn'rhéna
Avocat	un aguacate	agouakaté
	(*AmL* : una palta)	palta
Banane	un plátano	platano
Betterave	una remolacha	rrémolatcha
Brocoli	un brocoli	brokoli
Carotte	una zanahoria	çanaoria
Cerise	una cereza	çéréça
	(*AmL* : una guinda)	guinnda
Champignon	una seta, un champiñón	séta, tchampignonn
Chicorée	una achicoria	atchikoria
Chou	una col	kol
Chou-fleur	una coliflor	koliflor
Choux de Bruxelles	las coles de Bruselas	kolèss dé broussélass
Citron	un limón	limonn
Concombre	un pepino	pépino
Courgette	un calabacín	kalabaçinn
Endive	una endibia	énndibia
Épinards	las espinacas	éspinakass
Figue	un higo	igo
Fines herbes	las finas hierbas	finass yèrbass
Frais	natural, fresco	natoural, frésko
Fraise	una fresa	fréssa
	(*AmL* : una frutilla)	froutiya

Framboise	una frambuesa	frambouéssa
Groseille	una grosella	grosséya
Haricots en grain	las judías	rhoudiass
	(*Mex* : los frijoles)	fri'rholéss
	(*AmL* : los porotos)	porotoss
— verts	las judías verdes	rhoudiass vérdéss
	(*Mex* : los ejotes)	é'rhotéss
	(*AmL* : los porotos verdes)	porotoss vérdéss
Laitue	una lechuga	létchouga
Lentilles	las lentejas	lénnté'rhass
Mandarine	una mandarina	manndarina
Melon	un melón	mélonn
Mirabelle	una ciruela mirabel	çirouéla mirabél
Mûr	maduro	madouro
Mûre	una mora	mora
Myrtille	un mirtillo	mirtiyo
Navet	un nabo	nabo
Noix	una nuez	nouéç
Oignon	una cebolla	çéboya
Orange	una naranja	narann'rha
Pamplemousse	un pomelo	pomélo
	(*Mex* : una toronja)	toronn'rha
Pêche	un melocotón	mélokotonn
	(*AmL* : un durazno)	douraçno
Persil	el perejil	péré'rhil
Petits pois	los guisantes	guissanntéss
	(*AmL* : las arvejas)	arvé'rhass
Pois chiches	los garbanzos	garbannçoss
Poireau	un puerro	pouérro
Poivron	un pimiento morrón	pimiénnto morronn
Pomme	una manzana	mannçana
Pomme de terre	una patata	patata
	(*AmL* : una papa)	papa
Prune	una ciruela	çirouéla
Radis	un rábano	rrabano
Raisin	la uva	ouva
Tomate	un tomate	tomaté
	(*Mex* : un jitomate)	rhitomaté

Habillement

ropa   rropa

Attention ! Les références des tailles ne sont pas les mêmes dans tous les pays. Renseignez-vous, et surtout, essayez avant d'acheter.

L'indispensable

Bonjour !
¡ Buenos días !
¡ bouénoss diass !

Je voudrais **acheter**...
Quisiera comprar...
kissiéra komprar...

J'**aimerais**...
Me gustaría...
mé goustaria...

Auriez-vous... ?
¿ Tendría usted... ?
¿ ténndria oustéd... ?

Avez-vous un **article** meilleur marché ?
¿ Tiene usted algún artículo más barato ?
¿ tiéné oustéd algoúnn artikoulo mass barato ?

Acceptez-vous les **chèques de voyage** ?
¿ Acepta usted los cheques de viaje ?
¿ açépta oustéd loss tchékéss dé via'rhé ?

Cela me **convient**.
Así está bien.
assi ésta biénn.

Combien cela **coûte-t-il** ?
¿ Cuánto vale ésto ?
¿ kouannto valé ésto ?

Puis-je **essayer**... **échanger** ?
¿ Puedo probarme... cambiar ?
¿ pouédo probarmé... kambiar ?

Moins cher... **moins** grand.
Menos caro... menos grande.
ménoss karo... ménoss granndé.

Pouvez-vous me **montrer** autre chose ?
¿ Puede usted enseñarme otra cosa ?
¿ pouédé oustéd énnségnarmé otra kossa ?

Plus grand... **plus** petit.
Más grande... más pequeño.
mass granndé... mass pékégno.

> Merci, au revoir.
> Gracias, adiós (hasta luego).
> graçiass, adioss (asta louégo).

En situation

> Où peut-on trouver un magasin de prêt-à-porter ?
> ¿ Dónde se puede encontrar una tienda de
>   confecciones ?
> ¿ donndé sé pouédé énnkonntrar ouna tiénnda dé
>   konnfékçionéss ?

Je voudrais un **costume** coupé suivant ce modèle... dans
ce tissu.
Quisiera un traje cortado según este modelo... en esta
tela.
kissiéra ounn tra'rhé kortado ségounn ésté modélo... énn ésta
téla.

Auriez-vous le même modèle dans une autre **couleur** ?
¿ Tendría usted el mismo modelo en otro color ?
¿ ténndria oustéd él mismo modélo énn otro kolor ?

Cette chemise est **étroite**.
Esta camisa me queda estrecha.
ésta kamissa mé kéda éstrétcha.

Prenez mes **mesures**, s'il vous plaît.
Tome mis medidas, por favor.
tomé miss médidass, por favor.

Quel type de **nettoyage** conseillez-vous ?
¿ Qué tipo de limpieza me recomienda usted ?
¿ ké tipo dé limpiéça mé rrékomiénnda oustéd ?

Il faudrait **raccourcir** les manches.
Habría que acortar las mangas.
abría ké akortar lass manngass.

Ce pantalon ne **tombe** pas bien.
Este pantalón no cae bien.
ésté panntalonn no kaé biénn.

Vocabulaire

Anorak	un anorak	anorak
	(*AmL* : una parca)	parka
Bas	una media	média
Beige	beige	béige
Blanc	blanco	blannko
Bleu ciel	azul celeste	açoul çélésté
— marine	— marino	— marino
Blouson	una cazadora	kaçadora
	(*Mex* : un saco sport)	sako éspor
	(*AmL* : una chaqueta sport)	tchakéta éspor
Bonnet	un gorro	gorro
Bouton	un botón	botonn
Bretelles	los tirantes	tiranntéss
	(*AmL* : los suspensores)	souspénnsoréss
Caleçons	los calzoncillos	kalçonnçiyoss
Casquette	una gorra	gorra
Ceinture	un cinturón	çinntouronn
Centimètre	un centímetro	çénntimétro
Chapeau	un sombrero	sombréro
Chaussette	un calcetín	kalçétinn
Chemise	una camisa	kamissa

Chemisier	un camisero	kamiss**é**ro
Clair	claro	kl**a**ro
Col	el cuello	kou**é**yo
Collant	un leotardo	l**é**ot**a**rdo
	(*AmL :* los pantis)	p**a**nntiss
Complet	un traje	tra'rh**é**
Corsage	una blusa	bl**ou**ssa
Coton	el algodón	algod**o**nn
Couleur	el color	kol**o**r
Couper	cortar	kort**a**r
Court	corto	k**o**rto
Cravate	una corbata	korb**a**ta
Cuir	cuero	kou**é**ro
— (manteau de)	un abrigo de cuero	abrigo dé kou**é**ro
Culottes	unas bragas	brag**a**ss
	(*Mex :* unas pantaletas)	panntal**é**tass
	(*AmL :* unos calzones)	kal**ç**on**é**ss
Déchiré	roto	rr**o**to
Doublure	el forro	f**o**rro
Écharpe	una bufanda	bouf**a**nnda
Emmanchure	la sisa	s**i**ssa
Épingle	un alfiler	alfil**é**r
Épingle de sûreté	un imperdible	imp**é**rd**i**blé
	(*AmL :* un alfiler de gancho)	alfil**é**r dé g**a**nntcho
Essayer	probar	prob**a**r
Étroit	estrecho	éstr**é**tcho
Fabrication locale	fabricación local	fabrika**ç**i**o**nn lok**a**l
Facile à entretenir	fácil de limpiar	fa**ç**il dé limpi**a**r
Fait à la main	hecho a mano	**é**tcho a m**a**no
Fantaisie	fantasía	fanntass**i**a
Fermeture à glissière	una cremallera	krémay**é**ra
	(*AmL :* un cierre éclair)	**ç**i**è**rré écl**è**r
Feutre	un sombrero de fieltro	sombr**é**ro dé fi**è**ltro
Fil	el hilo	**i**lo
— à coudre	— — de coser	— dé koss**é**r
Foncé	obscuro	obsk**ou**ro

Foulard	una pañoleta	pagnolèta
	(*Mex* : una mascada)	maskada
	(*AmL* : un pañuelo de cuello)	pagnouèlo dé kouéyo
Gabardine	una gabardina	gabardina
Gants	unos guantes	gouanntèss
Gant de toilette	un guante	gouannté
Garanti	garantizado	garanntiçado
Grand	grande	granndé
Grand teint	colores sólidos	kolorèss solidoss
Gris	gris	griss
Habit	una prenda de vestir	prènnda dé vèstir
Imperméable	un impermeable	impèrméablé
Infroissable	inarrugable	inarrougablé
Jaune	amarillo	amariyo
Jupe	una falda	falda
Jupon	una enagua	énagoua
Laine	la lana	lana
Lavable à la machine	lavable a máquina	lavablé a makina
Lavage	el lavado	lavado
— à la main	— — a mano	— a mano
Léger	ligero	li'rhèro
	(*AmL* : liviano)	liviano
Lingerie	la ropa interior	rropa inntérior
Long	largo	largo
Lourd	pesado	pèssado
Maillot de bain	un traje de baño	tra'rhé dé bagno
— de corps	una camiseta	kamissèta
Manche	una manga	mannga
Manteau	un abrigo	abrigo
Marron	marrón	marronn
	(*AmL* : café)	kafé
Mesure	una medida	médida
Mètre	un metro	mètro
Mode (à la)	a la moda	a la moda
Mouchoir	un pañuelo	pagnouèlo
Nettoyer	limpiar	limpiar
Noir	negro	nègro

Pantalon	un pantalón	panntalonn
Parapluie	un paraguas	paragouass
Poche	un bolsillo	bolsiyo
Prêt-à-porter	la ropa de confección	rropa dé konnfékçionn
Pull-over	un jersey	rhérséï
	(*AmL* : un suéter, pulover)	souétér, poulovèr
Pyjama	un pijama	pi'rhama
Qualité	la calidad	kalidad
Rayé	rayado	rrayado
Repassage	el planchado	planntchado
Rétrécir	estrechar	éstrétchar
Rose	rosa	rrossa
Rouge	rojo	rro'rho
Serviette de toilette	una toalla	toaya
Short	un short	short
Slip	un slip	slip
Soie	la seda	séda
Sous-vêtements	la ropa interior	rropa inntérior
Soutien-gorge	un sostén	sosténn
	(*Mex* : un brassiere)	brassiér
Survêtement	un chandal	tchanndal
	(*AmL* : un buzo)	bouço
Taille	la talla	taya
Tailleur	un traje sastre	trarhé sastré
Teinte	el tono	tono
Tissu à carreaux	una tela de cuadros	téla dé kouadross
— imprimé	— — estampada	— éstampada
— à pois	— — de lunares	— dé lounarèss
— à rayures	— — rayada	— rayada
— uni	— — lisa	— lissa
Toile	una tela	téla
Velours	el terciopelo	térçiopélo
Veste	una chaqueta	tchakéta
	(*Mex* : un saco)	sako
Vêtements	la ropa	rropa
Vert	verde	vèrdé

Hôtel

hotel   otél

On trouve en Espagne une vaste gamme de solutions de logement pour les touristes :

— Les hôtels : il en existe cinq catégories à des prix qui varient selon la saison (haute, moyenne, basse).

— Les « paradors » : ce sont des hôtels aménagés dans d'anciens châteaux ou édifices historiques. Superbe cadre, cuisine régionale très soignée, séjours de courte ou de longue durée.

— Les auberges (« albergues ») et les « moteles », situés sur les itinéraires touristiques, ils ne sont possibles que pour des séjours de courte durée.

— Les pensions et « hostales » (trois catégories) : ils sont moins chers et plus modestes que les hôtels. Ils comprennent selon les cas la demi-pension ou pension complète.

— Les appartements ou villas locatifs (s'adresser aux agences spécialisées ou lire les petites annonces des journaux).

— La « casa de huéspedes » : logement idéal et peu coûteux si vous voulez connaître de près la vie des Espagnols sans être trop exigeant sur le confort.

En Amérique latine, vous trouverez à peu près les mêmes catégories d'hôtels, de pensions et d'auberges ou « moteles », avec des particularités régionales, bien entendu.

En situation

Où y a-t-il un bon hôtel... un hôtel bon marché ?
¿ Dónde hay un buen hotel... un hotel barato ?
¿ donndè aï ounn bouénn otél... ounn otél barato ?

Je suis Monsieur, Madame, Mademoiselle... J'ai
réservé pour une (deux) nuit(s), une (deux)
chambre(s) à un (deux) lit(s), avec douche... avec
bain... avec télévision.

Soy el Señor, la Señora, la Señorita... He reservado
para una (dos) noche(s), una (dos) habitación(es),
con una (dos) cama(s), con ducha... con cuarto de
baño... con televisión.

soï él ségnor, la ségnora, la ségnorita... è rrèssérvado para
ouna (doss) notchéss, **ou**na (doss) abitaçionéss, konn
ouna (doss) kamass, konn d**ou**tcha... konn kou**a**rto dé
b**a**gno... konn télévissionn.

FERMÉ	OUVERT	COMPLET
CERRADO	ABIERTO	COMPLETO
çérrado	abiérto	komplèto

Acceptez-vous les animaux ?
¿ Acepta usted los animales ?
¿ açépta oustéd loss animaléss ?

Pouvez-vous **appeler** un autre hôtel ?
¿ Puede usted llamar a otro hotel ?
¿ pouédé oustéd yamar a **o**tro otél ?

J'**attends** quelqu'un. Je suis dans le salon... au bar.
Estoy esperando a alguien. Estoy en el salón... en el bar.
éstoï éspérannado a alguiénn. éstoï énn él salonn... énn él bar.

Pouvez-vous monter les **bagages**, s'il vous plaît ?
¿ Puede usted subir el equipaje, por favor ?
¿ pouédé oustéd soubir él ékipa'rhé, por favor ?

Où se trouve le **bar** ?
¿ Dónde está el bar ?
¿ donndé ésta él bar ?

Avez-vous des **cartes postales**... des timbres ?
¿ Tiene usted tarjetas postales... sellos ?
¿ tiéné oustéd tar'rhétass postaléss... séyoss ?

Je voudrais une **chambre** calme... moins chère.
Quisiera una habitación tranquila... menos cara.
kissiéra **ou**na abitaçionn trannkila... ménoss kara.

Avec vue sur la mer... sur la montagne... sur la rue ?
¿ Con vista al mar... a las montañas... a la calle ?
¿ konn vista al mar... a lass monntagnass... a la kayé ?

Peut-on voir la **chambre** ?
¿ Se puede ver la habitación ?
¿ sé pouédé vèr la abitaçionn ?

Acceptez-vous les **chèques**... les Eurochèques... les
    cartes de crédit ?
¿ Acepta usted los cheques... los Eurocheques... las
    tarjetas de crédito ?
¿ açépta oustéd loss tchékéss... loss éourotchékéss... lass
    tar'rhétass dé krédito ?

Pouvez-vous me donner la **clef**, s'il vous plaît ?
¿ Puede usted darme la llave, por favor ?
¿ pouédé oustéd darmé la yavé, por favor ?

J'ai laissé la **clef** à l'intérieur.
He dejado la llave adentro.
é dé'rhado la yavé adénntro.

Avez-vous un **coffre** ?
¿ Tiene usted una caja fuerte ?
¿ tiéné oustéd ouna ka'rha fouérté ?

Nous sommes **complets**.
El hotel está lleno (completo).
él otél ésta yéno (komplèto).

Pourriez-vous faire **descendre** mes bagages ?
¿ Puede usted pedir que bajen mi equipaje ?
¿ pouédé oustéd pédir ké ba'rhénn mi ékipa'rhé ?

L'**électricité** (la prise de courant) ne fonctionne pas.
La electricidad (el enchufe) no funciona.
la éléktriçidad (él énntchoufé) no founnçiona.

Voulez-vous m'envoyer la **femme de chambre** ?
¿ Puede usted mandarme a la camarera ?
¿ pouédé oustéd manndarmé a la kamaréra ?

La **fenêtre** (la porte) (le verrou) ferme mal.
La ventana (la puerta) (el cerrojo) cierra mal.
la vénntana (la pouérta) (él çérro'rho) çiérra mal.

Voulez-vous remplir cette **fiche** ?
Llene esta ficha, por favor.
yéné ésta fitcha, por favor.

Le **lavabo**... les toilettes... le bidet... est (sont) bouché(s).
El lavabo... el wáter... el bidé... está (están) atascado(s).
él lavabo... él ouatér... él bidé... ésta (éstann) ataskado(ss).

J'ai du linge à faire **laver**... nettoyer... repasser.
Tengo ropa para lavar... limpiar... planchar.
ténngo rropa para lavar... limpiar... planntchar.

Ce n'est pas mon **linge**.
Esta no es mi ropa.
ésta no éss mi rropa.

Y a-t-il un **message** pour moi ?
¿ Hay algún recado para mí ?
¿ aï algounn rrékado para mi ?

Pourriez-vous m'expliquer les détails de cette **note** ?
¿ Podría usted explicarme los detalles de esta cuenta ?
¿ podria oustéd éksplikarmé loss détayéss dé ésta kouénnta ?

Je ne peux pas **ouvrir** la porte de ma chambre.
No puedo abrir la puerta de mi habitación.
no pouédo abrir la pouérta dé mi abitaçionn.

Pouvez-vous me rendre mes **papiers d'identité** ?
¿ Puede usted devolverme mis documentos ?
¿ pouédé oustéd dévolvérmé miss dokouménntoss ?

Avez-vous un **parking** ou un garage ?
¿ Tiene usted un parking o un garaje ?
¿ tiéné oustéd ounn parking o ounn gara'rhé ?

Non, il y a un **parcmètre**.
No, hay un parquímetro.
no, aï ounn parkimétro.

Je pense **partir** demain. Préparez ma note, s'il vous plaît.
Pienso irme mañana. Prepáreme la cuenta, por favor.
piénnso irmé magnana. préparémé la kouénnta, por favor.

Le **petit déjeuner** est-il inclus ? servi dans la chambre ?
avec ou sans supplément ?
¿ El desayuno está incluido ?... ¿ lo sirven en la
habitación ? ¿ con o sin suplemento ?
¿ él déssay**ou**no ésta innklou**i**do ? ¿ lo s**i**rvénn énn la abitaç**i**onn ?
¿ konn o sinn souplémé**n**nto ?

    Petit déjeuner continental ou américain ?
    ¿ Desayuno continental o americano ?
    ¿ déssay**ou**no konntinénntal o amérik**a**no ?

Je suis **pressé**... en retard.
Tengo prisa... estoy atrasado.
té**n**ngo pr**i**ssa... ést**oï** atrass**a**do.

Je vous **remercie** de votre excellent service.
Le agradezco mucho su excelente atención.
lé agrad**é**çko m**ou**tcho sou ékçélé**n**nté aténnç**i**onn.

Je **rentre** (je reviens) à... heures.
Vuelvo a las...
vou**é**lvo a lass...

Faites-vous des **réservations** pour les spectacles... les
visites touristiques ?
¿ Hace usted reservas para los espectáculos... las visitas
turísticas ?
¿ **a**çé oust**é**d rréss**é**rvass p**a**ra loss éspéktakoulo**s**s... lass
viss**i**tass tourist**i**kass ?

    Combien de temps **restez**-vous ?
    ¿ Cuánto tiempo se quedará usted ?
    ¿ kou**a**nnto ti**é**mpo sé kédar**a** oust**é**d ?

Je pense **rester**... jours... semaines... jusqu'au...
Pienso quedarme... días... semanas... hasta el...
pié**n**nso kéd**a**rmé... di**a**ss... sé**ma**nass... **a**sta él...

Y a-t-il un **restaurant** dans l'hôtel ?
¿ Hay restaurante en el hotel ?
¿ **a**ï rréstaourann**té** énn él ot**é**l ?

    Oui, au premier étage.
    Sí, en el primer piso.
    si, énn él prim**é**r p**i**sso.

Pouvez-vous me **réveiller** à ... heures ?
¿ Puede usted despertarme a las... ?
¿ pouédé oustéd déspértarmé a lass... ?

Je voudrais une **serviette** de bain... une couverture... du
fil à coudre et une aiguille... du savon... du papier à
lettres... une enveloppe.
Quisiera una toalla... una manta... hilo de coser y una
aguja... jabón... papel de carta... un sobre.
kissiéra **ou**na toaya... **ou**na mannta... **i**lo dé kossér i **ou**na
ag**ou**'rha... rhabonn... papél dé karta... ounn sobré.

> Téléphonez au **service d'étage.**
> Llame al personal de piso.
> yamé al pérsonal dé pisso.

Le **stationnement** est-il permis dans cette rue ?
¿ Está permitido aparcar en esta calle ?
¿ ésta pérmitido aparkar énn ésta kayé ?

Je voudrais **téléphoner** en France... en ville.
Quisiera llamar a Francia... dentro de la ciudad.
kissiéra yamar a frannçia... dénntro dé la çioudad.

> Vous appelez de votre chambre le n°...
> Llame usted al número... desde su habitación.
> yamé oustéd al nouméro... désdé sou abitaçionn.

Combien de **temps** faut-il pour aller à la gare... à
l'aéroport ?
¿ Cuánto tiempo se necesita para ir a la estación... al
aeropuerto ?
¿ kouannto tiémpo sé néçéssita para ir a la éstaçionn... al
aéropouérto ?

Nos **voisins** sont bruyants.
Nuestros vecinos hacen mucho ruido.
nouéstross véçinoss açénn moutcho rrouido.

Quel est le **voltage** ?
¿ Cuál es el voltaje ?
¿ koual éss él volta'rhé ?

Vocabulaire

Accueil	la recepción	rréçépçionn
Air conditionné	el aire acondicionado	aïré akonndiçionado
Ampoule	una bombilla	bombiya
	(*AmL :* una ampolleta)	ampoyéta
Arrivée	la llegada	yégada
Ascenseur	el ascensor	açénnsor
Baignoire	la bañera	bagnéra
	(*AmL :* la tina de baño)	tina dè bagno
Balcon	el balcón	balkonn
Bidet	el bidé	bidé
CAISSE	CAJA	ka'rha
Cendrier	un cenicero	çéniçéro
Chaise	una silla	siya
Chambre	una habitación	abitaçionn
	(*AmL :* el cuarto)	kouarto
Chasse d'eau	la cadena	kadéna
Chaud	caliente	kaliénnté
Chauffage	la calefacción	kaléfakçionn
Chèque	un cheque	tchéké
— de voyage	— — de viaje	— dè via'rhè
Cintre	una percha	pértcha
Clef (de la	la llave de	yavé dé
chambre)	la habitación	la abitaçionn
CONCIERGE	PORTERO, GUARDIA	portéro, gouardia
Courant	la corriente	korriénnté
Courroie	una correa	korréa
Couverture	una manta	mannta
	(*Mex :* una cobija)	kobi'rha
	(*AmL :* una frazada)	fraçada
Demi-pension	media pensión	média pénnsionn
Direction	la dirección	dirèkçionn
Douche	la ducha	doutcha
Draps	las sábanas	sabanass
Eau chaude	el agua caliente	agoua kaliénnté
— froide	— — fría	— fria
Escalier	la escalera	éskaléra
Étage	el piso	pisso

Fauteuil	un sillón	siyonn
Ficelle	una cuerda	kouérda
Froid	frío	frio
Fuite	un escape	éskapé
Interrupteur	el interruptor	inntèrrouptor
Lit	la cama	kama
Lumière	la luz	louç
Matelas	el colchón	koltchonn
Miroir	el espejo	éspè'rho
Nettoyer	limpiar	limpiar
Note	la cuenta	kouénnta
Oreiller	la almohada	almoada
Papiers d'identité	los documentos	dokouménntoss
Pension complète	pensión completa	pénnsionn komplèta
Porteur	el mozo	moço
	(*AmL :* el maletero)	malétéro
Portier	el portero	portéro
Rasoir électrique	una máquina de afeitar eléctrica	makina dé afèitar élèktrika
Rasoir mécanique	una maquinilla de afeitar	makiniya dé afèitar
RÉCEPTION	RECEPCION	rréçépçionn
Réfrigérateur	la nevera	névèra
	(*AmL :* el refrigerador)	rrèfri'rhèrador
Robinet	el grifo	grifo
	(*AmL :* la llave del agua)	yavé dèl agoua
SALLE A MANGER	COMEDOR	komédor
Salle de bain	el cuarto de baño	kouarto dè bagno
Savon	el jabón	rhabonn
SERVICE	SERVICIO	sérviço
Serviette de bain	una toalla de baño	toaya dé bagno
— de toilette	una toalla	toaya
Table de nuit	la mesilla de noche	mèssiya dé notchè
TOILETTES	SERVICIOS	sérviçioss
	(*AmL :* BAÑO, WC)	bagno, vèssé
Verrou	un cerrojo	çèrro'rho
Voltage	el voltaje	volta'rhè

Petit déjeuner

desayuno   déssay**ou**no

Vocabulaire

Assiette	un plato	pl**a**to
Bacon	el tocino	to**ç**ino
Beurre	la mantequilla	mannt**é**kiya
	(*Arg* : la manteca)	mannt**é**ka
Bol	un bol	bol
Café noir	un café solo (puro)	kaf**é** s**o**lo (p**ou**ro)
	(*Mex* : — — negro)	— n**é**gro
— au lait	— — con leche	— konn l**é**tché
Chaise	una silla	s**i**ya
Chaud	caliente	kali**é**nnté
Chocolat	un chocolate	tchokol**a**té
Citron	un limón	lim**o**nn
Confiture	la mermelada	mérm**é**lada
	(*AmL* : el dulce)	d**ou**lçé
Couteau	un cuchillo	koutch**i**yo
Cuiller	una cuchara	koutch**a**ra
Petite cuiller	una cucharilla	koutch**a**riya
Dessert	el postre	p**o**stré
Eau	el agua	**a**goua
Fourchette	un tenedor	tén**é**d**o**r
Froid	frío	fr**i**o
Fromage	el queso	k**é**sso
Fruit	la fruta	fr**ou**ta
Jambon	el jamón	rham**o**nn
Jus de fruits	un zumo de fruta	**ç**oumo dé fr**ou**ta
	(*AmL* : un jugo de fruta)	rh**ou**go dé fr**ou**ta
— d'orange	— — de naranja	— narann'rha
— de	— — de pomelo	— dé pom**é**lo
pamplemousse	(*Mex* : — de toronja)	— dé toronn'rha
— de pomme	— de manzana	— dé mann**ç**ana

Miel	la miel	mi**é**l
Omelette	una tortilla	tortiya
Œufs brouillés	huevos revueltos	ou**é**voss rr**é**vou**é**ltoss
— à la coque	— pasados por agua	— pass**a**doss por **a**goua
	(*AmL* : huevos a la copa)	— a la k**o**pa
— sur le plat	— estrellados	— éstr**é**y**a**doss
	(*AmL* : — fritos)	— frit**o**ss
Pain	el pan	pann
Poivre	la pimienta	pimi**é**nnta
Saucisses	las salchichas	saltchitchass
Sel	la sal	sal
Soucoupe	un platillo	plati**y**o
Sucre	el azúcar	a**ç**oukar
Table	una mesa	m**é**ssa
Tasse	una taza	ta**ç**a
Thé	un té	té
Toast	pan tostado	pann tost**a**do
Verre	un vaso	v**a**sso
Yoghourt	un yogur	yog**ou**r

Jours fériés

días festivos   diass féstivoss

1er janvier :
    Jour de l'An   El Año Nuevo   agno nouévo

6 janvier :
    Épiphanie   Epifanía   épifania

19 mars :
    Saint-Joseph   San José   sann rhossé

Vendredi saint   Viernes Santo   viérnéss sannto

Lundi de Pâques   Lunes de Pascua   lounéss dé paskoua

1er mai :
    Fête du Travail   Día del Trabajo   dia dél traba'rho

    Fête-Dieu   Corpus Cristi   korpouss kristi

25 juillet :
    Saint-Jacques   Santiago Apóstol   sanntiago apostol

15 août :
    Assomption   Asunción   assounnçionn

12 octobre :
    Jour de
    l'Hispanité   Día de la Hispanidad   dia dé la ispanidad
        (*AmL* : Día de la Raza)   dia dé la rraça

1er novembre :
    Toussaint   Todos los Santos   todoss loss sanntoss

8 décembre :
    Immaculée   Inmaculada Concepción   innmakoulada
    Conception   konnçépçionn

25 décembre :
    Noël   Navidad   navidad

Fête nationale des pays d'Amérique latine

Argentine :
25 mai

Argentina :
25 de mayo

ar'rhénntina :
véinntiçinnko dé mayo

Bolivie :
6 août

Bolivia :
6 de agosto

bolivia :
séiss dé agosto

Chili :
18 septembre

Chile :
18 de septiembre

tchilé :
diéçiotcho dé séptiémbré

Colombie :
20 juillet

Colombia :
20 de julio

kolombia :
véinnté dé rhoulio

Costa Rica :
15 septembre

Costa Rica :
15 de septiembre

kosta rrika :
kinnçé dé séptiémbré

Cuba :
1er janvier

Cuba :
primero de enero

kouba :
priméro dé énéro

El Salvador :
15 septembre

El Salvador :
15 de septiembre

él salvador :
kinnçé dé séptiémbré

Équateur :
10 août

Ecuador :
10 de agosto

ékouador :
diéç dé agosto

Guatemala :
15 septembre

Guatemala :
15 de septiembre

gouatémala :
kinnçé dé séptiémbré

Honduras :
15 septembre

Honduras :
15 de septiembre

onndourass :
kinnçé dé séptiémbré

Mexique :
16 septembre

Méjico :
16 de septiembre

mé'rhiko :
diéçisséiss dé séptiémbré

Nicaragua :
15 septembre

Nicaragua :
15 de septiembre

nikaragoua :
kinnçé dé séptiémbré

Panama :
3 novembre

Panamá :
3 de noviembre

panama :
tréss dé noviémbré

Paraguay :
14/15 mai

Paraguay :
14/15 de mayo

paragouaï :
katorçé i kinnçé dé mayo

Pérou :
28 juillet

Perú :
28 de julio

pérou :
véinntiotcho dé rhoulio

République dominicaine : 27 février	República dominicana : 27 de febrero	rrépoublika dominikana : véinntissiété dé fébréro
Uruguay : 25 août	Uruguay : 25 de agosto	ourougouaï : véinntiçinnko dé agosto
Venezuela : 5 juillet	Venezuela : 5 de julio	vénéçouéla : çinnko dé rhoulio

Mesures

medidas   médidass
DISTANCES
distancias   distannçiass

LONGUEURS	LONGITUDES	lonn'rhitoudéss
Centimètre	un centímetro	çénntimétro
Kilomètre	un kilómetro	kilométro
Mètre	un metro	métro
Mille marin	una milla marina	miya marina
POIDS	PESOS	péssoss
Gramme	un gramo	gramo
Hectogramme	un hectógramo	éktogramo
Kilogramme	un kilógramo	kilogramo
Quintal	un quintal	kinntal
Tonne	una tonelada	tonélada
SURFACES	SUPERFICIES	soupérfiçièss
Kilomètre carré	un kilómetro cuadrado	kilométro kouadrado
Mètre carré	un metro cuadrado	métro kouadrado
VOLUMES	VOLUMENES	voloumènnéss
Décalitre	un decalitro	dékalitro
Hectolitre	un hectólitro	éktolitro
Litre	un litro	litro
Quart	un cuarto	kouarto
Mètre cube	un metro cúbico	métro koubiko
DIVERS	VARIOS	varioss
Densité	la densidad	dénnsidad
Épaisseur	el espesor	éspéssor
Étroit	estrecho	éstrétcho
Hauteur	la altura	altoura
Large	ancho	anntcho
Largeur	el ancho	anntcho
Long	largo	largo
Profondeur	la profundidad	profounndidad

Métro

metro   métro

Les villes espagnoles et latino-américaines possédant un métro sont : Madrid, Barcelone, Mexico, Buenos Aires, Caracas et Santiago. Suivant la ville, il fonctionne entre 5 heures ou 6 heures du matin et 11 heures ou minuit le soir.

En situation

Où se trouve la station la plus proche ?
¿ Dónde se encuentra la estación más cercana ?
¿ donndé sé énnkouénntra la éstaçionn mass çérkana ?

Je voudrais un **billet**... un carnet de billets... un (des) jeton(s).
Quisiera un billete... un taco de billetes... una(s) ficha(s).
kissiéra ounn biyété... ounn tako dé biyétéss... ouna(ss) fitcha(ss).

Y a-t-il un **changement** ?
¿ Hay que hacer algún cambio ?
¿ aï ké açér algounn kambio ?

Faut-il **changer** ?
¿ Hay que cambiar ?
¿ aï ké kambiar ?

Quelle **direction** dois-je prendre pour aller à ... ?
¿ Qué dirección debo tomar para ir a... ?
¿ ké dirékçionn débo tomar para ir a... ?

A quelle **heure** ferme le métro ?
¿ A qué hora cierra el metro ?
¿ a ké ora çiérra él métro ?

Quelle **ligne** dois-je prendre pour aller à... ?
¿ Qué línea debo tomar para ir a.. ?
¿ ké linéa débo tomar para ir a... ?

Pouvez-vous me donner un **plan** de métro ?
¿ Puede usted darme un plano del metro ?
¿ pouédé oustéd darmé ounn plano dél métro ?

Cette **rame** va bien à... ?
Este metro va a... ¿ verdad ?
ésté métro va a... ¿ vérdad ?

Combien de **stations** avant... ?
¿ Cuántas estaciones antes de... ?
¿ kouanntass éstaçionéss anntéss dé... ?

Vocabulaire

ACCÈS AUX QUAIS	A LOS ANDENES	a loss anndénéss
Banlieue	la periferie, las afueras	périférié, afouérass
Billet	un billete	biyété
	(*AmL* : un boleto, ticket)	boléto, tikét
Carnet de billets	un taco de billetes	tako dé biyétéss
	(*AmL* : un abono)	abono
Contrôleur	el revisor	rrévissor
	(*AmL* : el inspector)	innspéktor
CORRESPON- DANCE	CAMBIO, CONEXION	kambio, konéksionn
Descendre	bajar	ba'rhar
Direction	la dirección	dirékçionn
Distributeur	un distribuidor	distribouidor
ENTRÉE	ENTRADA	énntrada
Escalier	la escalera	éskaléra
ESCALIER MÉCANIQUE	ESCALERA MECANICA	éskaléra mékanika
Express	el expreso	éksprésso
Fermeture	el cierre	çiérré
INFORMATIONS	INFORMACIONES	innformaçionéss
Jetons	las fichas	fitchass

Ligne	una línea	linéa
Métro	el metro	métro
	(*Arg* : el subte)	soubté
Monter	subir	soubir
Omnibus	un ómnibus	omnibouss
Ouverture	la abertura	abértoura
Plan	un plano	plano
Portes	las puertas	pouértass
Rame	un tren	trénn
Signal d'alarme	la alarma	alarma
SORTIE	SALIDA	salida
Station	la estación	éstaçionn
Terminus	el terminal	términal
Voie	la vía	vía

Monnaies

monedas   mon**é**dass

Argentine :	el austral	aoustr**a**l
Bolivie :	el peso	p**é**sso
Chili :	el peso	p**é**sso
Colombie :	el peso	p**é**sso
Costa Rica :	el colón	kol**o**nn
Cuba :	el peso	p**é**sso
El Salvador :	el colón	kol**o**nn
Équateur :	el sucre	s**ou**kré
Espagne :	la peseta	péss**é**ta
Guatemala :	el quetzal	kétç**a**l
Honduras :	el lempira	l**é**mpira
Mexique :	el peso	p**é**sso
Nicaragua :	el córdoba	k**o**rdoba
Panama :	el balboa	balb**o**a
Paraguay :	el guaraní	gouaran**i**
Pérou :	el sol	sol
République dominicaine :	el peso	p**é**sso
Uruguay :	el peso	p**é**sso
Venezuela :	el bolívar	bol**i**var

Nature

Vocabulaire

Abeille	una abeja	ab**é**'rha
Air	el aire	**a**ïré
Altitude	la altura	alt**ou**ra
A pic	a pique	a pik**é**
Arbre	un árbol	**a**rbol
Argileux	arcilloso	arçiy**o**sso
Automne	el otoño	ot**o**gno
Avalanche	una avalancha	avala**n**ntcha
Averse	un aguacero, chubasco	agouaç**é**ro, tchouba**s**ko
Baie	una bahía	ba**ï**a
Basalte	el basalto	bass**a**lto
Berger	un pastor	past**o**r
Bœuf	un buey	bou**é**i
Bois	un bosque	bosk**é**
Boisé	boscoso	bosk**o**sso
Bosquet	un bosquecillo	boskéç**i**yo
Boue	el barro	b**a**rro
Bouleau	un abedul	abéd**ou**l
Bourgeon	un brote	brot**é**
Branche	una rama	rr**a**ma
Brouillard	la niebla, neblina	ni**é**bla, néb**l**ina
Brume	la bruma	br**ou**ma
Caillou	un guijarro	gui'rh**a**rro
Calcaire	calcáreo	kalka**r**éo
Campagne	el campo	**ka**mpo
Canard	un pato	p**a**to
Carrefour	un cruce	krou**ç**é
Cascade	una cascada	kask**a**da
Céréales	los cereales	çéréal**é**ss
Cerisier	un cerezo	çér**é**ço

Cueillir	coger	ko'rhèr
	(*Mex* : recolectar)	rrèkolèktar
Chaleur	el calor	kalor
Champ	un campo, prado	kampo, prado
Champignon	un hongo, un champiñón	onngo, tchampignonn
	(*AmL* : una callampa)	kayampa
Chant	el canto	kannto
Château	un castillo	kastiyo
Chaud	caliente	kaliènntè
Chêne	un roble	rroblé
Cheval	un caballo	kabayo
Chien de berger	un perro de pastor	pèrro dé pastor
CHIEN MÉCHANT	CUIDADO CON EL PERRO	kouidado konn él pèrro
Ciel	el cielo	çièlo
Clair	claro	klaro
Climat	el clima	klima
Colline	una colina	kolina
Coloré	vistoso	vistosso
Coq	un gallo	gayo
Cordillère (des Andes)	la cordillera (de los Andes)	kordiyèra (dé loss anndèss)
Côte	una cuesta	kouèsta
Coucher de soleil	la puesta de sol	pouèsta dé sol
Couleur	el color	kolor
DANGER	PELIGRO	péligro
Dangereux	peligroso	péligrosso
Dégel	el deshielo	désyèlo
Désert	el desierto	déssièrto
Eau	el agua	agoua
— potable	— — potable	— potablé
— non potable	— — no potable	— no potablé
Éclair	un relámpago	rrèlampago
Environs	los alrededores	alrrédédorèss
Épine	una espina	èspina
Est	el este	èstè
Étang	una laguna	lagouna
Été	el verano	vèrano
Étoile	una estrella	èstrèya
Falaise	un acantilado	akanntilado

Fané	marchito	martchito
Ferme	una granja, finca	grann'rha, finnka
	(*AmL* : una hacienda)	açiénnda
Feuillage	el follaje	foya'rhé
Feuille	una hoja	o'rha
Figuier	una higuera	iguéra
Fleur	una flor	flor
Fleurs (en)	florecido	floréçido
Foins	el heno	éno
Forêt	un bosque	boské
Forêt vierge	la selva (virgen)	sélva vir'rhènn
Fourmi	una hormiga	ormiga
Froid	frio	frio
Gelée	la helada	élada
Glace	el hielo	yélo
Glissant	resbaloso	rrésbalosso
Grange	el granero	granéro
Granit	el granito	granito
Grès	la gres	gréss
	(*AmL* : la greda)	gréda
Grotte	una gruta	grouta
Guêpe	una avispa	avispa
Haie	un seto, una hilera	séto, iléra
Hauteur	la altura	altoura
Hêtre	un haya	aya
Hiver	el invierno	innviérno
Horizon	el horizonte	oriçonnté
Humide	húmedo	oumédo
Inoffensif	inofensivo	inofénnsivo
Insecte	un insecto	innsékto
Jardin	un jardín	rhardinn
Lac	un lago	lago
Lande	una landa	lannda
Lave	la lava	lava
Lever de soleil	el amanecer	amanéçèr
Lointain	lejano	lé'rhano
Lune	la luna	louna
Marécage	un pantano	panntano
Marée	la marea	maréa

Massif	un macizo	maçiço
Mer	el mar	mar
Miel	la miel	mièl
Minéral	un mineral	minéral
Montagne	una montaña, la sierra	monntagna, sièrra
Montagneux	montañoso	monntagnosso
Morsure	una mordedura	mordèdoura
— de serpent	una picadura de serpiente	pikadoura dè sèrpiènntè
Mouche	una mosca	moska
Moustique	un mosquito	moskito
Mouton	un cordero	kordèro
Neige	la nieve	nièvè
Nid	un nido	nido
Nord	el norte	nortè
Nuage	una nube	noubè
Nuageux	nublado	noublado
Océan	el océano	oçèano
Œuf	un huevo	ouèvo
Oiseau	un pájaro	pa'rharo
Olivier	un olivo	olivo
Ombre	la sombra	sombra
Orage	una tormenta	tormènnta
Oranger	un naranjo	narann'rho
Orties	las ortigas	ortigass
Ouest	el oeste	oèstè
Palmier	una palmera	palmèra
Parfum	un perfume, olor	pèrfoumè, olor
Paysage	un paisaje	païssa'rhé
Pêcher	un melocotonero	mèlokotonèro
	(*AmL :* un durazno)	douraçno
Pierre	una piedra	pièdra
Pigeon	una paloma	paloma
Pin	un pino	pino
Piqûre	una picadura	pikadoura
Plage	una playa	playa
Plaine	una llanura	yanoura
	(*AmL :* un llano)	yano
Plantes	las plantas	planntass
Plat	llano, plano	yano, plano

Platane	un plátano oriental	platano oriénntal
Plateau	una meseta	mésséta
Pluie	la lluvia	youvia
Pluvieux	lluvioso	youviosso
Poirier	un peral	péral
Poisson	un pez, pescado	péç, péskado
Pommier	un manzano	mannçano
Porc	un cerdo	çérdo
	(*AmL* : un chancho)	tchanntcho
Port	un puerto	pouérto
Poule	una gallina	gayina
Prairie	una pradera	pradéra
Pré	un prado	prado
	(*AmL* : un potrero)	potréro
Précipice	un precipicio	préçipiçio
Printemps	la primavera	primavéra
Proche	cercano	çérkano
Promenade	un paseo, una vuelta	passéo, vouélta
PROPRIÉTÉ PRIVÉE	PROPIEDAD PRIVADA	propiédad privada
Racine	una raíz	rraïç
Rivière	un río	rrio
Rocher	una roca	rroka
Ronces	las zarzas	çarçass
	(*AmL* : la zarzamora)	çarçamora
Roseau	una caña	kagna
	(*AmL* : un junco)	rhounnko
Rosée	el rocio	rroçio
Ruisseau	un arroyo	arroyo
Sable	la arena	aréna
Sablon	la arenilla	aréniya
Sablonneux	arenoso	arénosso
Sapin	un pino	pino
Sec	seco	séko
Serpent	una serpiente	sérpiénnté
Soleil	el sol	sol
Sommet	una cumbre	koumbré
Source	una fuente	fouénnté
Sud	el sur	sour

Température	la temperatura	témpératoura
Tempête	una tempestad	témpéstad
Temps	el tiempo	tiémpo
Tonnerre	un trueno	trouéno
Torrent	un torrente	torrénnté
Tronc	un tronco	tronnko
Troupeau	un rebaño	rrébagno
Vache	una vaca	vaka
Vague	una ola	ola
Vallée	un valle	vayé
Vallonné	ondulado	onndoulado
Vénéneux	venenoso	vénénosso
Venimeux	venenoso	vénénosso
Verdure	la vegetación	vé'rhètaçionn
Versant	una ladera	ladéra
Volcan	un volcán	volkann

Nombres

0	cero	çéro
1	uno	**ou**no
2	dos	doss
3	tres	trèss
4	cuatro	kou**a**tro
5	cinco	çinnko
6	seis	s**é**iss
7	siete	si**é**té
8	ocho	**o**tcho
9	nueve	nou**é**vé
10	diez	di**é**ç
11	once	**o**nnçé
12	doce	d**o**çé
13	trece	tr**é**çé
14	catorce	kat**o**rçé
15	quince	kinnçé
16	dieciséis	diéçiss**é**iss
17	diecisiete	diéçissi**é**té
18	dieciocho	diéçi**o**tcho
19	diecinueve	diéçinou**é**vé
20	veinte	v**é**innté
21	veintiuno	véinnti**ou**no
22	veintidós	véinntid**o**ss
23	veintitrés	véinntitr**é**ss
24	veinticuatro	véinntikou**a**tro
25	veinticinco	véinnti**ç**innko
26	veintiséis	véinntiss**é**iss
27	veintisiete	véinntissi**é**té
28	veintiocho	véinnti**o**tcho
29	veintinueve	véinntinou**é**vé
30	treinta	tr**é**innta
31	treinta y uno	tr**é**inntaï**ou**no

32	treinta y dos	tréinntaïdoss
40	cuarenta	kouarénnta
50	cincuenta	çinnkouénnta
60	sesenta	séssénnta
70	setenta	séténnta
80	ochenta	otchénnta
90	noventa	novénnta
100	cien	çiénn
200	doscientos	doçiénntoss
300	trescientos	tréçiénntoss
400	cuatrocientos	kouatroçiénntoss
500	quinientos	kiniénntoss
600	seiscientos	séiçiénntoss
700	setecientos	sétéçiénntoss
800	ochocientos	otchoçiénntoss
900	novecientos	novéçiénntoss
1 000	mil	mil
10 000	diez mil	diéç mil
100 000	cien mil	çiénn mil
1 000 000	un millón	ounn miyonn
Premier	primero	priméro
Deuxième	segundo	ségounndo
Troisième	tercero	térçéro
Quatrième	cuarto	kouarto
Cinquième	quinto	kinnto
Sixième	sexto	séksto
Septième	séptimo	séptimo
Huitième	octavo	oktavo
Neuvième	noveno	novéno
Dixième	décimo	déçimo
Demi (1/2)	un medio	ounn médio
Tiers (1/3)	un tercio	ounn térçio
Quart (1/4)	un cuarto	ounn kouarto
Trois quarts (3/4)	tres cuartos	tréss kouartoss
2 pour cent	dos por ciento	doss por çiénnto
10 pour cent	diez por ciento	diéç por çiénnto

Opticien

óptico   optiko

En situation

S'il vous plaît, pouvez-vous m'indiquer un opticien ?
¿ Por favor, podría usted indicarme un óptico ?
¿ por favor, podria oustéd inndikarmé ounn optiko ?

Pouvez-vous remplacer ces verres... les **branches** ?
¿ Puede usted cambiar estos cristales... las patillas ?
¿ pouédé oustéd kambiar éstoss kristaléss... lass patiyass ?

Je n'ai pas la **formule**.
No tengo la fórmula.
no ténngo la formoula.

J'ai perdu mes **lentilles** de contact.
He perdido mis lentes de contacto.
é pérdido miss lénntéss dé konntakto.

J'ai cassé mes **lunettes**. Pouvez-vous les remplacer...
   avec ou sans ordonnance ?
Se me han roto las gafas. ¿ Puede usted hacerme otras...
   con o sin receta ?
sé mé ann rroto lass gafass. ¿ pouédé oustéd açérmé otrass...
   konn o sinn rréçéta ?

Je voudrais des **lunettes de soleil**... anti-reflets.
Quisiera gafas de sol... anti-reflejos.
kissiéra gafass dé sol... annti-rréflé'rhoss.

Quand pourrai-je les **reprendre** ?
¿ Cuándo puedo venir a buscarlas ?
¿ kouanndo pouédo vénir a bouskarlass ?

Je porte des **verres** teintés.
Uso cristales ahumados.
ousso kristaléss aoumadoss.

Vocabulaire

Astigmate	astigmático	astigmatiko
Branche	una patilla	patiya
Étui	un estuche	éstoutché
	(*AmL :* una funda)	founnda
Formule	una fórmula	formoula
Hypermétrope	hipermétrope	ipérmétropé
Jumelles	unos prismáticos	prismatikoss
Liquide pour	un líquido para	likido para
lentilles de	los lentes de	lénntèss dé
contact	contacto	konntakto
Longue-vue	larga vista	larga vista
Loupe	una lupa	loupa
Lunettes	las gafas	gafass
	(*AmL :* los anteojos)	anntéo'rhoss
— de soleil	— — de sol	— dé sol
Myope	miope	miopé
Presbyte	présbite	présbité
Verre(s)	el (los) cristal(es)	kristal(éss)
— de contact	los lentes de contacto	lénntèss dé konntakto
— teintés	unos cristales ahumados	kristaléss aoumadoss
Vis	un tornillo	torniyo

Papeterie

papelería   papéléria
LIBRAIRIE
librería   libréria

L'indispensable

Bonjour !
¡ Buenos días !
¡ bouénoss diass !

Je voudrais **acheter...**
Quisiera comprar...
kissiéra komprar...

J'**aimerais**...
Me gustaría...
mé goustaria...

Auriez-vous... ?
¿ Tendría usted... ?
¿ ténndria oustéd... ?

Avez-vous un **article** meilleur marché ?
¿ Tiene usted algún artículo más barato ?
¿ tiéné oustéd algounn artikoulo mass barato ?

Cela me **convient**.
Así está bien.
assi ésta biénn.

Combien cela **coûte**-t-il ?
¿ Cuánto vale ésto ?
¿ kouannto valé ésto ?

Moins cher... **moins** grand.
Menos caro... menos grande.
ménoss karo... ménoss granndé.

Pouvez-vous me **montrer** autre chose ?
¿ Puede usted enseñarme otra cosa ?
¿ pouédé oustéd énnségnarmé otra kossa ?

Plus grand... **plus** petit.
Más grande... más pequeño.
mass granndé... mass pékégno.

Merci, au revoir.
Gracias, adiós (hasta luego).
graçiass, adioss (asta louégo).

En situation

Y a-t-il un magasin d'articles de papeterie ?
¿ Hay alguna tienda de artículos de papelería ?
¿ aï algouna tiénnda dé artikouloss dé papéléria ?

Vendez-vous des livres en **français** ?
¿ Vende usted libros en francés ?
¿ vénndé oustéd libross énn frannçéss ?

Je voudrais un **guide touristique** de la région.
Quisiera una guía turística de la región.
kissiéra ouna guia touristika dé la rré'rhionn.

Existe-t-il une **histoire de la région** en français ?
¿ Existe alguna historia de la región en francés ?
¿ éksisté algouna istoria dé la rré'rhionn énn frannçéss ?

Recevez-vous les **journaux** français ?
¿ Recibe usted los periódicos franceses ?
¿ rréçibé oustéd loss périodikoss frannçésséss ?

Faites-vous des **photocopies** ?
¿ Hace usted fotocopias ?
¿ açé oustéd fotokopiass ?

Pouvez-vous me procurer la **traduction** française de cet
ouvrage ?
¿ Puede usted conseguirme la traducción francesa de
este libro ?
¿ pouédé oustéd konnséguirmé la tradoukçionn frannçéssa dé
ésté libro ?

Vocabulaire

Agenda	una agenda	a'rhénnda
Agrafes	unas grapas	grapass
	(*AmL* : unos corchetes)	kortchétéss
Agrafeuse	una grapadora	grapadora
	(*AmL* : una corchetera)	kortchétéra
Bloc-notes	un bloc de apuntes	blok dé apounntéss
Boîte de peinture	una caja de pintura	ka'rha dé pinntoura
Bouteille d'encre	una botella, un frasco de tinta	botéya, frasko dé tinnta
Brochure	un folleto	foyéto
Buvard	un secante	sékannté
Cahier	un cuaderno	kouadérno
Calculatrice	una calculadora	kalkouladora
Calendrier	un calendario	kalénndario
Carnet	una libreta	libréta
— d'adresses	— de direcciones	— dé dirékçionéss
Carte géographique	un mapa geográfico	mapa rhéografiko
— routière	— — de carreteras	— dé karrétérass
— touristique	— — turístico	— touristiko
Cartes à jouer	unos naipes, unas cartas	naïpéss, kartass
— postales	unas tarjetas postales	tar'rhétass postaléss
— de vœux	— — de Navidad	— dé navidad
Cartouche	una carga, un repuesto	karga, rrépouésto
Catalogue	un catálogo	katalogo
Ciseaux	unas tijeras	ti'rhérass
Classeur	un archivador	artchivador
Colle	un pegamento	pégaménnto
Crayon noir	un lápiz negro	lapiç négro
— de couleur	— — de color	— dé kolor
Dictionnaire de poche	un diccionario de bolsillo	dikçionario dé bolsiyo
Édition	una edición	édiçionn
Élastiques	unos elásticos	élastikoss
Encre	la tinta	tinnta
Enveloppe	un sobre	sobré

Étiquettes	unas etiquetas	ètikètass
— adhésives	— — adhesivas	— adéssivass
Exemplaire	un ejemplar	é'rhèmplar
Feuille	una hoja	o'rha
Ficelle	una cuerda	kouérda
Format	el formato	formato
Gomme	una goma	goma
Grammaire	una gramática	gramatika
Guide touristique	una guía turística	guia touristika
— en français	— — en francés	— ènn frannçèss
Hebdomadaire	un semanario	sèmanario
Illustration	una imagen, ilustración	ima'rhènn, iloustraçionn
Journal	un periódico	pèriodiko
— local	— — local	— lokal
	(*AmL :* un diario local)	diario lokal
Livre d'art	un libro de arte	libro dé arté
— de poche	— — de bolsillo	— dé bolsiyo
— pour enfants	— — para niños	— para nignoss
Magazine	una revista	rrévista
Papier	papel	papèl
— de brouillon	— borrador	— borrador
— cadeau	— de regalo	— dé rrégalo
— calque	— de calco	— dé kalko
— carbonne	— carbón	— karbonn
— collant	— adhesivo	— adéssivo
— d'emballage	— de envolver	— ènnvolvèr
— à lettres	— de carta	— dé karta
— machine	— de máquina	— dé makina
— de soie	— de seda	— dé séda
Pile	una pila	pila
Pinceau	un pincel	pinnçèl
Plan de la ville	un plano de la ciudad	plano dé la çioudad
Plume	una pluma	plouma
Punaise	un chinche	tchinntchè
Recharge	un recambio, repuesto	rrékambio, rrépouésto
Règle	una regla	rrégla
Revue	una revista	rrévista
Roman	una novela	novéla

Ruban	una cinta	çinnta
— de machine à écrire	— — para máquina de escribir	— para makina dé éskribir
Serviettes en papier	unas servilletas de papel	sérviyétass dé papél
Stylo bille	un bolígrafo	boligrafo
— feutre	un rotulador	rrotoulador
— plume	una estilográfica	éstilografika
Taille-crayon	un sacapuntas	sakapounntass

Parfumerie

perfumería   pèrfouméria
HYGIÈNE
higiene   i'rhéné

L'indispensable

Bonjour !
¡ Buenos días !
¡ bouénoss diass !

Je voudrais **acheter**...
Quisiera comprar...
kissiéra komprar...

J'**aimerais**...
Me gustaría...
mé goustaria...

Auriez-vous... ?
¿ Tendría usted... ?
¿ ténndria oustéd... ?

Avez-vous un **article** meilleur marché ?
¿ Tiene usted algún artículo más barato ?
¿ tiéné oustéd algounn artikoulo mass barato ?

Cela me **convient**.
Así está bien.
assi ésta biènn.

Combien cela **coûte-t-il** ?
¿ Cuánto vale ésto ?
¿ kouannto valé ésto ?

Moins cher... **moins** grand.
Menos caro... menos grande.
ménoss karo... ménoss granndé.

Pouvez-vous me **montrer** autre chose ?
¿ Puede usted enseñarme otra cosa ?
¿ pouédé oustéd énnségnarmé otra kossa ?

Plus grand... **plus** petit.
Más grande... más pequeño.
mass granndé... mass pékégno.

Merci, au revoir.
Gracias, adiós (hasta luego).
graçiass, adioss (asta louégo).

En situation

Y a-t-il une parfumerie dans le quartier, s'il vous
plaît ?
¿ Hay alguna perfumería en el barrio, por favor ?
¿ aï algouna pèrfoumèria énn èl barrio, por favor ?

Je cherche une **brosse** plus souple.
Quisiera un cepillo más suave.
kissièra ounn çépiyo mass souavé.

Puis-je **essayer** ce vernis à ongles ?
¿ Puedo probar este esmalte para uñas ?
¿ pouédo probar ésté ésmalté para ougnass ?

Je préférerais un **parfum** plus léger.
Preferiría un perfume más suave.
préfériria ounn pèrfoumé mass souavé.

Pourrais-je **sentir** ce parfum ?
¿ Me permite oler este perfume ?
¿ mé pèrmité olèr ésté pèrfoumé ?

Vocabulaire

Blaireau	una brocha de afeitar	brotcha dé aféitar
Brosse à cheveux	un cepillo para el pelo	çépiyo para èl pélo
— à dents	— — de dientes	— dé diènntèss
	(*AmL* : una escobilla de dientes)	éskobiya dé diènntèss

— à ongles	— — para las uñas	— para lass **ou**gnass
	(*AmL :* una escobilla para las uñas)	éskobiya para lass **ou**gnass
Cheveux gras	cabello graso	kab**é**yo gra**ss**o
— secs	— seco	— s**é**ko
Clair	claro	kla**r**o
Coton	el algodón	algod**onn**
Cotons tiges	bastoncitos de algodón	bastonnç**i**toss d**é** algod**onn**
Couleur	el color	kol**o**r
Crayon pour les yeux	un lápiz de ojos	lapiç d**é o**'rhoss
Crème de base	una crema base	kr**è**ma ba**ss**é
— démaquillante	— — desmaquilladora	— d**è**smakiyad**o**ra
— hydratante	— — hidratante	— hidratannt**é**
— de jour	— — de día	— d**é** d**i**a
— de nuit	— — de noche	— d**é** n**o**tché
— pour les mains	— — para las manos	— para lass m**a**noss
— à raser	— — de afeitar	— d**é** af**é**itar
— solaire	— — solar	— solar
Démaquiller	desmaquillar	d**è**smakiyar
Dentifrice	una pasta de dientes	pasta d**é** di**è**nntèss
Déodorant	un desodorante	d**è**ssodorannt**é**
Dissolvant	un quitaesmalte	kitaésmalt**é**
Doux	suave	souav**é**
Eau de Cologne	un agua de Colonia	**a**goua d**é** kol**o**nia
— de toilette	— — de olor	— d**é** ol**o**r
Épingle de sûreté	un imperdible	imp**è**rdibl**é**
	(*AmL :* un alfiler de gancho)	alfil**è**r d**é** g**a**nntcho
— à cheveux	una horquilla	ork**i**ya
Éponge	una esponja	éspo**nn**'rha
Fard à paupières	una sombra para los ojos	s**o**mbra para loss **o**'rhoss
Flacon	un frasco	frasko
Foncé	obscuro	obsk**ou**ro
Fond de teint	una base de maquillage	ba**ss**é d**é** makiya'rhé
Gant de crin	un guante de crin	gou**a**nnté d**é** krinn
— de toilette	un guante	gou**a**nnté
Gel	un gel	rh**è**l

Houppette	una borla para polvos	borla para polvoss
Huile solaire	un aceite solar	açéité solar
Incolore	incoloro	innkoloro
Inodore	inodoro	inodoro
Lait démaquillant	una leche desmaquilladora	létché désmakiyadora
Lames de rasoir	unas hojas de afeitar	o'rhass dé aféitar
Laque	una laca	laka
Léger (parfum)	suave	souavé
Lime à ongles	una lima para uñas	lima para ougnass
Lotion	una loción	loçionn
Lourd	pesado	péssado
Maquiller	maquillar	makiyar
Mascara	el rimel	rrimél
Masque	una máscara	maskara
Mouchoirs en papier	unos pañuelos de papel	pagnouéloss dé papél
Mousse à raser	la espuma de afeitar	éspouma dé aféitar
Papier hygiénique	papel higiénico	papél i'rhéniko
Parfum	un perfume	pérfoumé
Peau grasse	piel grasa	piél grassa
— sèche	— seca	— séka
— sensible	— sensible	— sénnsiblé
Peigne	un peine	péiné
	(*AmL* : una peineta)	péinéta
Pierre ponce	una piedra pómez	piédra poméç
Pinceau	un pincel	pinnçél
Pinces à épiler	unas pinzas	pinnçass
Pommade pour les lèvres	una pomada para labios	pomada para labioss
Poudre	un polvo	polvo
Poudrier	una polvera	polvéra
Rasoir	una máquina de afeitar	makina dé aféitar
— à lames	una maquinilla de afeitar	makiniya dé aféitar
Rouge à lèvres	un lápiz labial	lapiç labial
Savon	un jabón	rhabonn
Sec	seco	séko
Serviette hygiénique	un paño higiénico	pagno i'rhéniko
— de bain	una toalla de baño	toaya dé bagno

— de toilette	una toalla	to**a**ya
Shampooing	un champú	tchamp**ou**
Talc	un talco	t**a**lko
Tampon	un tampón	tamp**o**nn
Teinte	un tinte	t**i**nnté
Trousse de toilette	un neceser de aseo	néc**é**ss**è**r dé ass**é**o
Tube	un tubo	t**ou**bo
Vaporisateur	un vaporizador	vaporiçad**o**r
Vernis à ongles	un esmalte para uñas	èsmalté para **ou**gnass

Photographie

fotografía   fotografia

L'indispensable

Bonjour !
¡ Buenos días !
¡ bouénoss diass !

Je voudrais **acheter**...
Quisiera comprar...
kissiéra komprar...

J'**aimerais**...
Me gustaría...
mé goustaria...

Auriez-vous... ?
¿ Tendría usted... ?
¿ ténndria oustéd... ?

Avez-vous un **article** meilleur marché ?
¿ Tiene usted algún artículo más barato ?
¿ tiéné oustéd algounn artikoulo mass barato ?

Acceptez-vous les **chèques de voyage** ?
¿ Acepta usted los cheques de viaje ?
¿ açépta oustéd loss tchékéss dé via'rhé ?

Cela me **convient**.
Así está bien.
assi ésta biénn.

Combien cela **coûte-t-il** ?
¿ Cuánto vale ésto ?
¿ kouannto valé ésto ?

Pouvez-vous me **montrer** autre chose ?
¿ Puede usted enseñarme otra cosa ?
¿ pouédé oustéd énnségnarmé otra kossa ?

Merci, au revoir.
Gracias, adiós (hasta luego).
graçiass, adioss (asta louégo).

En situation

S'il vous plaît, pouvez-vous m'indiquer un magasin de
photos ?
Por favor, ¿ puede usted indicarme una tienda de
artículos fotográficos ?
por favor, ¿ pouédé oustéd inndikarmé ouna tiénnda dé
artikouloss fotografikoss ?

Pouvez-vous me donner le **certificat d'origine** ?
¿ Puede usted darme el certificado de origen ?
¿ pouédé oustéd darmé él çértifikado dé ori'rhénn ?

La pellicule est **coincée**.
La película está atascada.
la pélikoula ésta ataskada.

En combien de temps pouvez-vous **développer** ce film ?
¿ Cuánto tiempo necesita usted para revelar esta
película ?
¿ kouannto tiémpo néçéssita oustéd para rrévélar ésta pélikoula ?

Quels sont les **droits de douane** à payer ?
¿ Cuánto hay que pagar de derechos de aduana ?
¿ kouannto aï ké pagar dé dérétchoss dé adouana ?

J'ai des **ennuis** avec...
Tengo problemas con...
ténngo problémass konn...

La cellule ne **fonctionne** pas.
La célula no funciona.
la çéloula no founnçiona.

L'appareil est **tombé**.
Se me ha caído la cámara.
sé mé a kaïdo la kamara.

Vocabulaire

Agrandissement	una ampliación	ampliaçionn
Ampoules-flash	una bombilla de flash	bombiya dé flash
Appareil	una cámara	kamara
	(*AmL* : una máquina)	makina
Axe	el eje	è'rhé
Bague de réglage	el anillo de enfoque	aniyo dé énnfoké
Bobine	una película, un rollo	pélikoula, rroyo
Boîtier	la caja	ka'rha
Bouton	un botón	botonn
Brillant	brillante	briyannté
Capuchon	el capuchón	kapoutchonn
Cartouche	un carrete	karrèté
Cellule	la célula	çéloula
Clair	claro	klaro
Coincer	atascar	ataskar
	(*AmL* : trancar)	trannkar
Compteur	el contador	konntador
Contrasté	contrastado	konntrastado
Déclencheur	el disparador	disparador
Développement	el revelado	rrévélado
Diaphragme	el diafragma	diafragma
Diapositif	una diapositiva	diapossitiva
Dos de l'appareil	la parte de atrás de la cámara	parté dé atrass dé la kamara
Épreuve	una prueba	prouèba
Film noir et blanc	película blanco y negro	pélikoula blannko i négro
— couleurs - papier	— en color para papel	— énn kolor para papél
Filtre jaune	un filtro amarillo	filtro amariyo
— orange	— — naranja	— narann'rha
— rouge	— — rojo	— rro'rho
Format	el formato	formato
Glacé	glaseado, brillante	glasséado, briyannté
Grain fin	de grano fino	dé grano fino
Identité (photo d')	una foto de identidad	foto dé idénntidad
Lumière artificielle	la luz artificial	louç artifiçial
— du jour	— — del día	— dèl dia

Marges (avec)	con márgenes, marcos	konn mar'rhénéss, markoss
— (sans)	sin márgenes, marcos	sinn mar'rhénéss, markoss
Mat	mate	maté
Négatif	un negativo	négativo
Objectif	el objetivo	ob'rhétivo
Obturateur	el obturador	obtourador
Papier	el papel	papél
Photo d'identité	una foto de identidad	foto dé idénntidad
Pied	un pie	pié
Pile	una pila	pila
Posemètre	el fotómetro	fotométro
Poses (20)	veinte exposiciones	véinnté ékspossiçionéss
Poses (36)	treinta y seis exposiciones	tréinnta i séiss ékspossiçionéss
Rapide	rápido	rrapido
Rebobiner	enrollar	énnrroyar
Recharger	cargar	kargar
Réparation	un arreglo	arréglo
Sensible	sensible	sénnsiblé
Sombre	obscuro	obskouro
Télémètre	el telémetro	télémétro
Tirage	una copia	kopia
Viseur	el visor	vissor
Voilé	velado	vélado

Poissonnerie

pescadería   péskadèria

On trouve en Espagne, à quelques différences près, les mêmes poissons et coquillages que chez nous.

En Amérique latine, en revanche, et surtout sur la côte Pacifique, vous aurez l'occasion de goûter à des variétés de poissons inconnues dans l'Atlantique et la Méditerranée. Autour des ports de pêche ou à l'intérieur des marchés, il existe d'excellents petits restaurants qui vous serviront le produit de la pêche du jour à petits prix et dans une ambiance tout à fait sympathique.

L'indispensable

Bonjour !
¡ Buenos días !
¡ bouénoss diass !

Je voudrais **acheter**...
Quisiera comprar...
kissièra komprar...

J'**aimerais**...
Me gustaría...
mè goustaria...

Auriez-vous... ?
¿ Tendría usted... ?
¿ tènndria oustéd... ?

Cela me **convient**.
Así está bien.
assi ésta biénn.

Combien cela **coûte**-t-il ?
¿ Cuánto vale ésto ?
¿ kouannto valé ésto ?

Moins cher... **moins** gros.
Menos caro... menos grande.
ménoss karo... ménoss granndé.

Plus grand... **plus** petit.
Más grande... más pequeño.
mass granndé... mass pékégno.

Avez-vous un **poisson** meilleur marché ?
¿ Tiene usted algún pescado más barato ?
¿ tiéné oustéd algounn péskado mass barato ?

 Merci, au revoir.
 Gracias, adiós (hasta luego).
 graçiass, adioss, (asta louégo).

Vocabulaire

Anchois	las anchoas	anntchoass
Anguilles	las anguilas	annguilass
Araignée de mer	la centolla	çénntoya
Bar	el robalo	rrobalo
Brochet	el lucio	louçio
Cabillaud	el bacalao fresco	bakalao frésko
Calmars	los calamares	kalamaréss
Carpe	la carpa	karpa
Carrelet	la platija	plati'rha
Colin	la merluza	mérlouça
Congre	el congrio	konngrio
Coquilles Saint-Jacques	las vieiras	viéirass
	(*Chi* : los ostiones)	ostionéss
Crabe	el cangrejo de mar	kanngré'rho dé mar
	(*Chi* : la jaiva)	rhaïva
Crevettes	las gambas	gambass
	(*AmL* : los camarones)	kamaronéss
Crustacés	los crustáceos	kroustaçéoss
Daurade	el besugo	béssougo
Écrevisse	el cangrejo de río	kanngré'rho dé rrio
	(*Chi* : el camarón de río)	kamaronn dé rrio

Filet	un filete	filété
Fruits de mer	los mariscos	mariskoss
Fumé	ahumado	aoumado
Hareng	el arenque	arènnké
Homard	el bogavante	bogavannté
Huîtres	las ostras	ostrass
	(*Mex* : los ostiones)	ostionéss
Langouste	la langosta	lanngosta
Langoustines	los langostinos	lanngostinoss
Maquereau	la caballa	kabaya
Mariné	escabechado	éskabétchado
Merlan	la pescadilla	péskadiya
Morue	el bacalao	bakalao
Moules	los mejillones	mé'rhiyonéss
	(*Chi* : los choritos)	tchoritoss
Oursins	los erizos	ériçoss
Perche	la perca	pérka
Poisson	el pescado	péskado
Sardines	las sardinas	sardinass
Saumon	el salmón	salmonn
Sole	el lenguado	lénngouado
Thon	el atún	atounn
Tranche de	una tajada de	ta'rhada dé
Truite	la trucha	troutcha
Turbot	el rodaballo	rrodabayo

Police

policía   poliçia

Comme partout, un policier doit se sentir respecté pour être lui-même respectueux. Gardez-vous bien de vous énerver face à certaines lenteurs administratives ou bureaucratiques, restez calmes et courtois afin de ne pas blesser la susceptibilité de votre interlocuteur, vous serez ainsi assuré de recevoir en retour un traitement tout à fait correct.

En situation

Où est le commissariat de police le plus proche ?
¿ Dónde está la comisaría más cercana ?
¿ donndé ésta la komissaria mass çérkana ?

Pouvez-vous m'**aider** ?
¿ Puede usted ayudarme ?
¿ pouédé oustéd ayoudarmé ?

C'est **arrivé** à l'hôtel... dans ma chambre... dans la rue... dans ma voiture... ce matin... cette nuit... hier... maintenant.
Ocurrió en el hotel... en mi habitación... en la calle... en mi coche... esta mañana... esta noche... ayer... ahora.
okourrio énn él otél... énn mi abitaçionn... énn la kayé... énn mi kotché... ésta magnana... ésta notché... ayér... aora.

Je voudrais faire une **déclaration** de perte... de vol.
Quisiera hacer una declaración de pérdida... de robo.
kissiéra açér ouna déklaraçionn dé pérdida... dé rrobo.

On m'a volé... j'ai **perdu**... mon sac... mes papiers... mon
  passeport... ma valise... ma voiture... mon appareil
  photo.
Me han robado... he perdido... mi bolso... mis
  documentos... mi pasaporte... mi maleta... mi coche...
  mi cámara fotográfica.
mé ann rrob**a**do... è p**è**rdido... mi b**o**lso... miss dokoum**é**nntoss...
  mi passap**o**rtè... mi mal**è**ta... mi k**o**tchè... mi k**a**mara
  fotogr**a**fika.

Je veux **porter plainte**.
Quiero presentar una denuncia.
ki**è**ro pr**è**ss**é**nnt**a**r **ou**na dèn**ou**nnçia.

On a **volé** dans ma voiture.
Me han robado en el coche.
mé ann rrob**a**do ènn èl k**o**tchè.

Vocabulaire

Abîmer	estropear	èstrop**é**ar
	(*AmL :* echar a perder)	ètch**a**r a p**è**rd**è**r
Accident	un accidente	akçid**é**nnté
Accuser	acusar	akouss**a**r
Agent de police	un policía	poli**ç**ia
Agression	una agresión	agr**é**ssi**o**nn
AMBASSADE	EMBAJADA	èmba'rh**a**da
Amende	una multa	m**ou**lta
Appareil photo	la cámara fotográfica	k**a**mara fotograf**i**ka
Argent	el dinero	din**è**ro
	(*AmL :* la plata)	pl**a**ta
Assurances	los seguros	ség**ou**ross
Avocat	un abogado	abog**a**do
Bijoux	las joyas	rho**y**ass
Certifier	certificar	çèrtifik**a**r
Collier	un collar	koy**a**r
Condamner	condenar	konnd**é**n**a**r
CONSULAT	CONSULADO	konnsoul**a**do
Contravention	una multa	m**ou**lta
Déclaration	una declaración	dèklara**ç**i**o**nn

Défendre	defender	défénnd**è**r
Drogue	la droga	dr**o**ga
Enquête	una investigación	innv**é**stigaçi**o**nn
Erreur	un error	**é**rr**o**r
Examiner	examinar	**é**ksamin**a**r
Expertise	un peritaje	p**é**rita'rh**é**
Fracturer	quebrar	k**é**br**a**r
Innocent	inocente	ino**ç**é**nnt**é
Menacer	amenazar	am**é**na**ç**a**r
Nier	negar	n**é**g**a**r
Passeport	el pasaporte	passap**o**rt**é**
Perte	la pérdida	p**é**rdida
Poche	el bolsillo	bolsiyo
POLICE	POLICIA	poli**ç**ia
Police	la comisaría	komissaria
(commissariat)		
Portefeuille	la cartera	kart**è**ra
	(*AmL* : la billetera)	biy**é**t**è**ra
Procès	un juicio	rhoui**ç**io
Procès-verbal	un boletín de multa	bol**é**tinn d**é** m**o**ulta
Responsable	responsable	rr**é**sponns**a**bl**é**
Sac	una bolsa	b**o**lsa
— à main	un bolso	b**o**lso
	(*AmL* : una cartera)	kart**è**ra
Saisir	agarrar	agarr**a**r
Secours	socorro	sok**o**rro
Témoin	un testigo	t**é**stigo
Valise	una maleta	mal**é**ta
Voiture	un coche	k**o**tch**é**
	(*Mex* : un carro)	k**a**rro
	(*AmL* : un auto)	**a**outo
Vol	un robo	rr**o**bo
Voleur	un ladrón	ladr**o**nn

Politesse

Nous ne saurions que trop vous conseiller de respecter les formules courantes de politesse. Cela vous permettra d'avoir un meilleur contact avec les gens du pays et vous réservera d'agréables surprises. Sachez que l'hispano-américain est extrêmement aimable et courtois, et qu'il se fera un plaisir de vous rendre service. En revanche, évitez toute remarque qui pourrait l'offusquer ou blesser sa susceptibilité, les conséquences peuvent être fâcheuses.

Ne vous étonnez pas du fait que le tutoiement est très répandu ; il ne s'agit pas là d'un manque de respect ni d'une familiarité abusive, mais simplement d'une habitude linguistique tout à fait admise ; néanmoins, laissez-en l'initiative à votre interlocuteur.

En situation

Puis-je vous **accompagner** ?
¿ Puedo acompañarle(la) ?
¿ pouédo akompagnarlé(la) ?

Pourriez-vous m'**aider** à connaître votre région...
  votre ville ?
¿ Podría usted ayudarme a conocer su región...
  su ciudad ?
¿ podria oustéd ayoudarmé a konoçér sou rré'rhionn...
  sou çioudad ?

Vous êtes trop **aimable**.
Usted es muy amable.
oustéd éss moui amablé.

J'**aime** beaucoup votre pays.
Su país me gusta mucho.
sou païss mé gou**s**ta mou**t**cho.

Comment vous **appelez**-vous ?
¿ Cómo se llama usted ?
¿ ko**m**o sé yama ous**t**éd ?

Allons **boire un verre** !
i Vamos a tomar una copa !
i va**m**oss a tomar ou**n**a kopa !

Cessez de m'importuner !
i Déje de molestarme !
i dé'rhé dé molé**s**tarmé !

Je ne vous **comprends** pas bien.
No le entiendo bien.
no lé énntié**n**ndo bié**n**n.

Comptez sur moi.
Cuente conmigo.
koué**n**nté konnmigo.

Je ne voudrais pas vous **déranger**.
No quisiera molestarle(la).
no kissié**r**a molé**s**tarlé(la).

Je suis **désolé**.
Lo siento mucho.
lo sié**n**nto mou**t**cho.

Avez-vous du **feu**, s'il vous plaît ?
¿ Tiene usted fuego, por favor ?
¿ tié**n**é ous**t**éd foué**g**o, por favor ?

A quelle **heure** puis-je venir ?
¿ A qué hora puedo venir ?
¿ a ké **o**ra poué**d**o vénir ?

Heureux de vous connaître.
Encantado de conocerle(la).
énnkanntado dé konoçérlé(la).

Un **instant**, s'il vous plaît !
i Un momento, por favor !
i ounn momé**n**nto, por favor !

Merci pour cette **invitation**.
Gracias por la invitación.
graçiass por la innvitaçionn.

Nous aimerions vous **inviter** à déjeuner... à dîner.
Nos gustaría invitarle(la) a almorzar... a cenar.
noss goustaria innvitarlé(la) a almorçar... a çénar.

Êtes-vous **libre** ce soir ?
¿ Está usted libre esta noche ?
¿ ésta oustéd libré ésta notché ?

Madame, mademoiselle, monsieur, **parlez**-vous français ?
Señora, señorita, señor, ¿ habla usted francés ?
ségnora, ségnorita, ségnor, ¿ abla ousted frannçéss ?

Parlez plus lentement.
Hable más despacio.
ablé mass déspaçio.

De quel **pays** venez-vous ?
¿ De qué país viene usted ?
¿ dé ké païss viéné ousted ?

Je me **permets** de vous présenter madame...
mademoiselle... monsieur...
Me permito presentarle a la Señora... a la Señorita... al
Señor...
mè pérmito préssénntarlé a la ségnora... a la ségnorita... al
ségnor...

Permettez-moi de me présenter.
Permítame presentarme.
pérmitamé préssénntarmé.

Me **permettez-vous** de vous inviter à déjeuner... à dîner...
à danser ?
¿ Me permite invitarle(la) a almorzar... a cenar... a bailar ?
¿ mè pérmité innvitarlé(la) a almorçar... a çénar... a baïlar ?

Pouvez-vous **répéter**... me dire... s'il vous plaît ?
¿ Puede usted repetir... decirme... por favor ?
¿ pouédé ousted rrépétir... déçirmé... por favor ?

Où peut-on se **retrouver** ?
¿ Dónde podemos encontrarnos ?
¿ donndé podémoss énnkonntrarnoss ?

J'espère que nous nous **reverrons**.
Espero que volveremos a vernos.
éspéro ké volvérémoss a vérnoss.

Je suis **seul**, voulez-vous m'accompagner ?
Estoy solo(a), ¿ quiere usted acompañarme ?
éstoï solo(a), ¿ kiéré oustéd akompagnarmé ?

Pouvez-vous me laisser votre numéro de **téléphone** ?
¿ Puede usted dejarme su número de teléfono ?
¿ pouédé oustéd dé'rharmé sou nouméro dé télléfono ?

  Combien de **temps** restez-vous ?
  ¿ Cuánto tiempo se queda usted aquí ?
  ¿ kouannto tiémpo sé kéda oustéd aki ?

Quel beau **temps** ! n'est-ce pas ?
¡ Qué buen tiempo ! ¿ verdad ?
¡ ké bouénn tiémpo ! ¿ vérdad ?

Je n'ai pas le **temps** de vous parler.
No tengo tiempo de hablarle.
no ténngo tiémpo dé ablarlé.

  Depuis combien de **temps** êtes-vous ici ?
  ¿ Desde cuándo está usted aquí ?
  ¿ désdé kouanndo ésta oustéd aki ?

Je suis en **vacances**... en **voyage d'affaires**.
Estoy de vacaciones... en viaje de negocios.
éstoï dé vakaçionéss... énn via'rhé dé négoçioss.

Vocabulaire

A bientôt	hasta pronto	asta pronnto
A ce soir	— la noche	— la notché
A demain	— mañana	— magnana
Adieu	adiós	adioss
	(*AmL* : hasta luego)	asta louégo
Aider	ayudar	ayoudar

Aimerais (j')	me gustaría	mé goustaría
Asseyez-vous	siéntese	siénntéssé
Attendez-moi	espéreme	éspérémé
Au revoir	hasta luego	asta louégo
— —	— la vista	— la vista
Avec plaisir	con mucho gusto	konn moutcho gousto
A votre service	para servirle	para sérvirlé
Beau	bonito, hermoso	bonito, érmosso
	(*AmL :* lindo)	linndo
Belle	bonita, hermosa	bonita, érmossa
	(*AmL :* linda)	linnda
Bien	bien	biènn
Boire	beber, tomar	bébér, tomar
Bon	buen(o)	bouénn(o)
Bon appétit	buen provecho	bouénn provétcho
Bonjour, madame	buenos días, señora	bouénoss diass, ségnora
— mademoiselle	— — señorita	— — ségnorita
— monsieur	— — señor	— — ségnor
Bonne nuit	buenas noches	bouénass notchéss
Bonsoir	— tardes (à partir de 12 ou 14 heures)	— tardéss
Ça va ?	¿ qué tal ?	ké tal
Certainement	por supuesto	por soupouésto
C'est délicieux	es delicioso	éss déliçiosso
C'est merveilleux	es maravilloso	éss maraviyosso
C'est possible	es posible	éss possiblé
Chaud (j'ai)	tengo calor	ténngo kalor
Comment allez-vous ?	¿ cómo está usted ?	komo ésta oustéd
Bien, merci, et vous ?	bien, gracias, ¿ y usted ?	biènn, graçiass i oustéd
Comprendre	entender	énnténndér
Déjeuner	almorzar	almorçar
	(*Mex :* comer)	komér
De rien	de nada	dé nada
Dîner	cenar	çénar
Dormir	dormir	dormir
Enchanté(e)	encantado(a)	énnkanntado(a)
En retard	atrasado	atrassado

Entrez, je vous en prie	pase (entre), por favor	passé, énntré, por favor
Excusez-moi	perdone, disculpe	pérdoné, diskoulpé
Faim (j'ai)	tengo hambre	ténngo ambré
Fatigué (je suis)	estoy cansado	éstoï kannsado
Froid (j'ai)	tengo frío	ténngo frio
Heureux	feliz	féliç
Instant	un momento	moménnto
Invitation	una invitación	innvitaçionn
Inviter	invitar	innvitar
Mal	mal	mal
Merci	gracias	graçiass
Merci beaucoup	muchas gracias	moutchass graçiass
Non	nó	no
Oui	sí	si
Pardon	perdón	pérdonn
Parler	hablar, charlar	ablar, tcharlar
	(*Mex* : platicar)	platikar
	(*AmL* : conversar)	konnvérsar
Perdu (je suis)	estoy perdido	éstoï pérdido
Permettez-moi	permítame	pérmitamé
Peut-être	quizá(s)	kiça(ss)
Pourquoi ?	¿ por qué ?	por ké
Pourriez-vous	¿ podría usted ?	podria oustéd
Présenter	presentar	préssénntar
Pressé (je suis)	tengo prisa	ténngo prissa
	(*AmL* : estoy apurado)	éstoï apourado
Quand ?	¿ cuándo ?	kouanndo
Quelle heure ? (à)	¿ a qué hora ?	a ké ora
Regretter	sentir	sénntir
Répéter	repetir	rrépétir
S'il vous plaît	por favor	por favor
Soif (j'ai)	tengo sed	ténngo séd
Sommeil (j'ai)	tengo sueño	ténngo souégno
Très bien	muy bien	moui biénn
Visiter	visitar	vissitar
Volontiers	con mucho gusto	konn moutcho gousto
Voudrais (je)	quisiera	kissiéra

Poste

correos   korréoss
TÉLÉPHONE
teléfono   teléfono

En Espagne et dans la plupart des pays latino-américains, la Poste est ouverte de 9 heures à 19 heures avec, suivant les villes, une interruption de une ou deux heures à midi. Le samedi, la plupart des bureaux ferment à 13 heures.

Le service téléphonique n'est généralement pas assuré par les bureaux de poste ; il s'agit très souvent de compagnies privées ayant leurs propres locaux. Il est toujours possible, bien entendu, d'effectuer des appels internationaux de votre hôtel.

En situation

Où est le bureau de poste... la boîte aux lettres ?
¿ Dónde está la oficina de correos... el buzón ?
¿ donndé ésta la oficina dé korréoss... él bouçonn ?

Allo ! Je voudrais parler à...
¡ Oiga (aló) ! quisiera hablar con...
¡ oïga (alo) ! kissiéra ablar konn...

Quand **arrivera** cette lettre ?
¿ Cuándo llegará esta carta ?
¿ kouanndo yégara ésta karta ?

La **communication** a été coupée.
Se ha cortado la comunicación.
sé a kortado la komounikaçionn.

Votre **correspondant** ne répond pas.
No contestan.
no konntéstann.

Avez-vous du **courrier** pour moi ?
¿ Tiene usted correo para mí ?
¿ tiéné oustéd korréo para mi ?

Combien cela **coûte**-t-il ?
¿ Cuánto vale ésto ?
¿ kouannto valé ésto ?

Je voudrais **envoyer** un télégramme... un télex.
Quisiera enviar un telegrama... un télex.
kissiéra énnviar ounn télégrama... ounn télékss.

Dois-je remplir un **formulaire** ?
¿ Tengo que llenar un formulario ?
¿ ténngo ké yénar ounn formoulario ?

Où est le **guichet** des télégrammes ?
¿ Dónde está la ventanilla de los telegramas ?
¿ donndé ésta la vénntaniya dé loss télégramass ?

A quel guichet puis-je toucher un **mandat** ?
¿ En qué ventanilla puedo cobrar un giro ?
¿ énn ké vénntaniya pouédo kobrar ounn rhiro ?

Pouvez-vous me faire de la **monnaie** ?
¿ Puede usted darme dinero suelto ?
¿ pouédé oustéd darmé dinéro souélto ?

La ligne est **occupée**.
La línea está ocupada.
la linéa ésta okoupada.

Quelles sont les heures d'**ouverture** de la poste ?
¿ A qué horas está abierto el Correo ?
¿ a ké orass ésta abiérto él korréo ?

Je désire envoyer un **paquet** par avion... en express... en recommandé.
Quisiera enviar un paquete por correo aéreo... urgente... certificado.
kissiéra énnviar ounn pakété por korréo aéréo... our'rhénnté... çértifikado.

La lettre **partira**-t-elle aujourd'hui ?
¿ Saldrá hoy la carta ?
¿ saldra oï la karta ?

Quel est le **tarif** par mot ?
¿ Cuánto vale la palabra ?
¿ kouannto valé la palabra ?

Quand le **télégramme** arrivera-t-il ?
¿ Cuándo llegará el telegrama ?
¿ kouanndo yégara él télégrama ?

Où est le **téléphone** ?
¿ Dónde está el teléfono ?
¿ donndé ésta él téléfono ?

Puis-je utiliser votre **téléphone** ?
¿ Puedo usar su teléfono ?
¿ pouédo oussar sou téléfono ?

Je voudrais **téléphoner** en P.C.V.... avec préavis.
Quisiera llamar con cobro revertido... con preaviso.
kissiéra yamar konn kobro rrévértido... konn préavisso.

A quel guichet vend-on des **timbres**... des timbres de collection ?
¿ En qué ventanilla venden sellos... sellos de colección ?
¿ énn ké vénntaniya vénndénn séyoss... séyoss dé kolékçionn ?

Vocabulaire

Abonné	un abonado	abonado
Adresse	la dirección	dirékçionn
Aérogramme	un aerograma	aérograma
ALLO !	¡ DIGA !	diga
	¡ Oiga !	oïga
	(*Mex* : ¿ bueno ?)	bouéno
	(*AmL* : ¡ aló !)	alo
Annuaire	la guía	guia
	(*Mex* : el directorio)	diréktorio
Appareil	el aparato	aparato
Attendre	esperar	éspérar
Boîte aux lettres	el buzón	bouçonn

Carte postale	una tarjeta postal	tar'rhéta postal
Colis	un paquete	pakété
	(*AmL* : una encomienda)	énnkomiénnda
Communication	una comunicación	komounikaçionn
Coupez pas (ne)	no corte	no korté
Courrier	el correo	korréo
Demander	pedir	pédir
Dérangement (en)	no funciona	no founnçiona
Distribution	la distribución	distribouçionn
Édition spéciale	una edición especial	édiçionn éspéçial
Entendre	oír	oïr
Entends rien (je n')	no oigo nada	no oïgo nada
Expédier	despachar	déspatchar
Expéditeur	el remite, remitente	rrémité, rrémiténnté
Express	urgente	our'rhénnté
Facteur	el cartero	kartéro
Faux numéro	número equivocado	noumléro ékivokado
Formulaire	un formulario	formoulario
Guichet	una ventanilla	vénntaniya
INFORMATIONS	INFORMACIONES	innformaçionéss
Jeton	una ficha	fitcha
Lettre	una carta	karta
Levée	la recogida	rréko'rhida
Ligne	una línea	linéa
Mandat	un giro	rhiro
Message	un mensaje, recado	ménnsa'rhé, rrékado
Monnaie	dinero suelto, cambio	dinéro souélto, kambio
	(*AmL* : sencillo)	sénnçiyo
Numéro	un número	nouméro
Occupé	ocupado	okoupado
Paquets	paquetes	pakétéss
	(*AmL* : encomiendas)	énnkomiénndass
Par avion	correo aéreo	korréo aéréo
P.C.V.	cobro revertido	kobro rrévértido
Pièce (monnaie)	una moneda	monéda
Poser (une question)	preguntar	prégounntar
Poste restante	lista de correos	lista dé korréoss
Rappeler	volver a llamar	volvér a yamar

Recommandés	certificados	çèrtifika**do**ss
Tarif	la tarifa	tarifa
Taxe	un impuesto	impou**è**sto
Taxiphone	un teléfono público	télé**f**ono **p**oubliko
Télégrammes	telegramas	télé**g**ra**ma**ss
Téléphone	teléfono	télé**f**ono
Télex	un télex	t**è**lèkss
Timbres	sellos	s**è**yoss
	(*AmL* : estampillas)	èstampi**y**ass
Timbres de collection	sellos de colección	s**è**yoss dè kolèkçi**o**nn
Unité	una unidad	ounida**d**
Urgent	urgente	our'rh**è**nnté
Urgent (très)	muy urgente	**mo**uï our'rh**è**nnté
Valeur déclarée	valor declarado	val**o**r dèklara**do**

Tableau d'épellation

A	a	de Alicante	alik**a**nnté
B	bé	de Barcelona	barçél**o**na
C	çé	de Cádiz	kadiç
CH	tché	de Chocolate	tchokola**té**
D	dé	de Diego	di**è**go
E	è	de Esteban	èst**è**bann
F	**é**fé	de Felipe	félipé
G	rhé	de Germán	rhér**m**ann
H	**a**tché	de Huelva	ou**è**lva
I	i	de Isabel	issab**é**l
J	rhota	de José	rhoss**é**
K	ka	de Kilo	kilo
L	**é**lé	de León	lé**o**nn
LL	d**o**blé **é**lé	de Llobregat	yobré**g**at
M	**é**mé	de Madrid	madrid
N	**é**né	de Nicolás	nikola**ss**
Ñ	**é**gné	de Ñoño	gnogno
O	o	de Oviedo	ovi**è**do
P	pé	de Pablo	p**a**blo
Q	kou	de Quijote	ki'rho**té**

R	**è**rrè	de Ramón	rram**o**nn
S	**è**ssè	de Sofía	sofia
T	tè	de Tarragona	tarrag**o**na
U	ou	de Ulises	ouliss**è**ss
V	**ou**vé	de Valencia	val**è**nnçia
W	d**o**blè **ou**vé	de Whisky	ou**i**ski
X	**è**kiss	de Xilófono	ksil**o**fono
Y	i gri**è**ga	de Yugoslavia	yougosl**a**via
Z	ç**è**ta	de Zamora	çam**o**ra

Restauration

restaurante   rrèstaourannté

Où se restaurer ?

Le restaurant : catégorie luxe, première classe, deuxième classe, troisième classe.

Cuisine régionale aussi bien qu'internationale (surtout dans les grands hôtels).

Les restaurants des Paradors, en Espagne, offrent une excellente cuisine régionale dans un très beau décor.

L'auberge (fonda, posada, mesón, hostería, taberna) : plus orientée vers la cuisine locale et ayant une ambiance plus familiale.

La cafétéria (bar, café, albergue de carretera) : on peut y prendre des repas rapides, des « tapas » (amuse-gueule) et des boissons.

A quelle heure ?

Le petit déjeuner : à partir de 7 heures, jusqu'à 10 heures.

Le déjeuner : pas avant 13 h 30, jusqu'à 15 heures.

Le dîner : à partir de 20 heures 30.

Les spécialités

En Espagne

— Los calamares en su tinta : calmars dans leur encre.

— La caldereta de mariscos : soupe de poisson (Baléares).

— Los callos a la madrileña : tripes (Castille).

— El cocido madrileño : sorte de pot-au-feu (Castille).

— El cochinillo asado : cochon de lait grillé (Castille).

— El chorizo : saucisses au piment.

— Los churros : sorte de beignets saupoudrés de sucre.

— La ensaimada : galette feuilletée (Baléares).

— Las gambas a la plancha : crevettes grillées.

— El gazpacho andaluz : potage de légumes froid (Andalousie).

— El jamón serrano : jambon cru, sec.

— La paella : riz, poivron, tomate, poulet, moules, calmars, crevettes, safran, ail, épices. Quatre variétés : la valenciana, la zamorana, la marinera et la catalana.

— Las tapas : amuse-gueule ou légers hors-d'œuvre servis dans les bars ou cafés. Les « tapas » sont extrêmement variées : olives, petits cubes de fromages, calmars, crevettes grillées, amandes salées, etc.

— Las tortillas : omelettes aux garnitures variées.

— El turrón : sorte de nougat (Alicante, Jijona).

— La zarzuela de mariscos : sorte de bouillabaisse (Catalogne).

... et beaucoup d'autres spécialités que vous découvrirez au cours de vos périples.

En Amérique latine

Argentine

— El asado : viande de bœuf grillée.

C'est en Argentine que vous trouverez la meilleure viande de bœuf, mais, attention, si vous l'aimez saignante, il faut bien le préciser (« muy jugosa »), car les Argentins la préfèrent très cuite.

— La empanada : sorte de chausson contenant de la viande hachée, de l'oignon, des olives, de l'œuf, etc.

— La parrillada : mélange de viandes grillées.

— El pastel de choclo : maïs moulu, parfois avec de la viande et cuit au four.

Chili

En plus de l'« empanada », de la « parrillada » et du « pastel de choclo » que vous trouvez aussi en Argentine, le Chili possède une extrême variété de fruits de mer, parmi lesquels nous vous conseillons :
— La centolla : araignée de mer.
— El erizo : oursin.
— La jaiva : crabe.
— El loco : mollusque très fin et apprécié.
— El ostión : la coquille Saint-Jacques.

Mexique

— El chile con carne : viande de bœuf très épicée avec des « frijoles » (haricots rouges).
— La enchilada : « tortilla » accompagnée de viande, « chile », fromage, etc.
— El guacamole : avocat écrasé, tomate, oignon et « chile ».
— El mole : sauce très épicée accompagnant différentes viandes.
— El pescado a la veracruzana : poisson, tomate et piments.
— Los tacos : « tortilla » garnie de différentes viandes, avec de l'avocat et du « chile ».
— La tortilla : sorte de crêpe de maïs.
— La tostada : « tortilla » grillée.

Pérou

— El ceviche : poisson cru mariné dans du citron, très épicé.
— La papa huancaína : spécialité à base de pommes de terre.

Les vins et les alcools

L'Espagne produit d'excellents vins rouges, notamment ceux de La Rioja. Nous vous conseillons aussi de goûter

le « moscatel », un vin blanc doux, le « Jerez » produit en
Andalousie, et la « sangría » que vous connaissez certai-
nement (vin rouge, sucre, fruits).

Vous trouverez aussi de nombreux digestifs à base
d'anis, et le « brandy » ou cognac espagnol.

Comme boisson rafraîchissante, rien de tel qu'une
« horchata de chufa » (lait d'orgeat), ou un « zumo » (jus
de fruits).

En Amérique latine, le vin et la bière sont très appré-
ciés.

Au *Mexique*, les repas sont souvent accompagnés de
bière, mais l'alcool national est la « tequila » (servie
comme apéritif ou digestif), et qui sert de base à plusieurs
cocktails (dont le plus réputé est le « Margarita »). Le
« pulque » est une boisson obtenue de la fermentation de
la sève d'agave.

Les meilleurs vins d'Amérique latine sont incontestable-
ment ceux du *Chili* suivis par ceux d'*Argentine* ; ils sont
commercialisés sur presque tout le continent.

Le *Pérou* et le *Chili* produisent une eau-de-vie de raisin
très réputée : le « pisco » (goûtez-le comme apéritif : le
« pisco-sauer », préparé avec du jus de citron et du blanc
d'œuf).

En *Colombie*, *Amérique centrale* et aux *Caraïbes*, on
produit et on consomme beaucoup de « ron » (le rhum),
qui sert aussi de base à de nombreux cocktails, et de
l'« aguardiente », eau-de-vie très forte.

En situation

Pouvez-vous m'indiquer un bon restaurant... un
restaurant bon marché... à prix raisonnables ?

¿ Puede usted indicarme un buen restaurante... un
restaurante barato... de precios razonables ?

¿ pouédé oustéd inndikarmé ounn bouénn rréstaourannté...
ounn rréstaourannté barato... dé précioss rraçonablèss ?

Pouvez-vous m'indiquer un restaurant typique de la région ?
¿ Puede usted indicarme algún restaurante típico de la región ?
¿ pouédé oustéd inndikarmé algounn rréstaourannté tipiko dé la rré'rhionn ?

FERMÉ	OUVERT	COMPLET
CERRADO	ABIERTO	COMPLETO (LLENO)
çérrado	abiérto	komplèto (yéno)

Pouvons-nous déjeuner... dîner ?
¿ Podemos almorzar... cenar ?
¿ podémoss almorçar... çénar ?

Apportez-moi la carte, s'il vous plaît.
Tráigame la carta, por favor.
traïgamé la karta, por favor.

S'il vous plaît, je voudrais une **boisson**... chaude... une bière... un jus de fruits... un verre de...
Por favor, quisiera una bebida... caliente... una cerveza... un zumo (jugo) de fruta... un vaso de...
por favor, kissiéra ouna bébida... kaliénnté... ouna çérvéça... ounn çoumo (rhougo) dé frouta... ounn vasso dé...

Je n'ai pas **commandé** cela.
Yo no he pedido ésto.
yo no é pédido ésto.

Que me **conseillez-vous** sur cette carte ?
¿ Qué me recomienda usted en esta carta ?
¿ ké mé rrékomiénnda oustéd énn ésta karta ?

C'est trop **cuit**... Ce n'est pas assez **cuit**.
Está demasiado cocido... No está bastante cocido.
ésta démassiado koçido... no ésta bastannté koçido.

Je ne désire pas d'**entrée**.
No deseo entrada (entremeses).
no désséo énntrada (énntrémésséss).

Il y a une **erreur**.
Hay un error.
aï ounn érror.

Est-ce **fromage** ou dessert, ou les deux ?
¿ Hay postre o queso, o los dos ?
¿ aï postré o késso, o loss doss ?

Servez-vous un **menu à prix fixe** ?
¿ Sirve usted un menú a precio fijo ?
¿ sirvé oustéd ounn ménou a préçio fi'rho ?

Pouvez-vous **réchauffer** ce plat ? Il est froid.
¿ Puede usted calentar este plato ? Está frío.
¿ pouédé oustéd kalénntar ésté plato ? ésta frio.

J'ai **réservé** une table pour deux personnes.
He reservado una mesa para dos personas.
è rrésérvado ouna méssa para doss pérsonass.

Je voudrais **réserver** pour quatre personnes.
Quisiera reservar para cuatro personas.
kissiéra rrésérvar para kouatro pérsonass.

Le **service** est-il compris ?
¿ Está incluido el servicio ?
¿ ésta innklouido él sérviçio ?

Avez-vous une **table libre**... dehors... sur la terrasse...
    près de la fenêtre ?
¿ Tiene usted alguna mesa desocupada... afuera... en la
    terraza... junto a la ventana ?
¿ tiéné oustéd algouna méssa déssokoupada... afouéra... énn la
    térraça... rhounnto a la vénntana ?

    Non, monsieur, tout est réservé.
    No, señor, todo está reservado.
    no, ségnor, todo ésta rrésérvado.

Où sont les **toilettes**, s'il vous plaît ?
¿ Dónde están los servicios, por favor ?
¿ donndé éstann loss sérviçioss, por favor ?

Il est trop **tôt**... trop **tard**.
Es demasiado temprano... demasiado tarde.
éss démassiado témprano... démassiado tardé.

Le **vin** est-il compris ?
¿ Está incluido el vino ?
¿ ésta innklouido él vino ?

Ce **vin** sent le bouchon.
Este vino huele a corcho.
ésté vino ouélé a kortcho.

> L'addition, s'il vous plaît.
> La cuenta, por favor.
> la kouénnta, por favor.

Vocabulaire

Addition	la cuenta	kouénnta
Agneau (viande)	la carne de cordero	karné dé kordéro
Ail (avec)	con ajo	konn a'rho
— (sans)	sin ajo	sinn a'rho
Ananas	una piña, un ananas	pigna, ananass
Anchois	las anchoas	anntchoass
Apéritif	un aperitivo	apéritivo
Artichaut	una alcachofa	alkatchofa
Asperges	los espárragos	ésparragoss
Assaisonner	sazonar	saçonar
	(*AmL* : aliñar)	alignar
Assiette	un plato	plato
Beurre	la mantequilla	manntékiya
	(*Arg* : la manteca)	manntéka
Bière blonde	la cerveza rubia	çérvéça rroubia
— (bouteille)	una botella de cerveza	botéya dé çérvéça
— brune	la cerveza negra	çérvéça négra
— pression	una caña	kagna
Bleu	muy crudo	moui kroudo
	(*AmL* : de vuelta y vuelta)	dé vouélta i vouélta
Bœuf (viande)	la carne de buey	karné dé bouéi
	(*AmL* : la carne de vaca)	karné dé vaka
Boisson	una bebida	bébida
— chaude	caliente	kaliénnté
— fraîche	fria	fria
Bouchon	corcho	kortcho
Bouilli	hervido	érvido
Braisé	estofado	éstofado
Brûlé	quemado	kémado

Café	un café	kafé
— fort	— — fuerte	— fouérté
— léger	— — ligero	— li'rhéro
— au lait	— — con leche	— konn létché
Caille	una codorniz	kodorniç
Canard	un pato	pato
Carafe	una jarra	rharra
Carotte	una zanahoria	çanaoria
Cendrier	un cenicero	çéniçéro
Champignons	unas setas, unos champiñones, unos hongos	sétass, tchampignonéss, onngoss
Charcuterie	unos embutidos	émboutidoss
Chaud	caliente	kaliénnté
Chocolat	el chocolate	tchokolaté
Citron	un limón	limonn
COMPLET	COMPLETO, LLENO	kompléto, yéno
Courgette	un calabacin (*AmL* : un zapallito)	kalabaçinn çapayito
Couteau	un cuchillo	koutchiyo
Couverts	los cubiertos	koubiértoss
Cuiller à soupe	una cuchara sopera	koutchara sopéra
— (petite)	una cucharilla	koutchariya
Cuit	cocido	koçido
— (bien)	bien cocido	biénn koçido
— (peu)	poco cocido	poko koçido
— au four	cocido al horno	koçido al orno
— à la vapeur	cocido al vapor	koçido al vapor
Cure-dents	mondadientes	monndadiénntéss
Déjeuner	el almuerzo	almouérço
— (petit)	el desayuno	déssayouno
Dessert	un postre	postré
Diététique	la dietética	diététika
Eau minérale gazeuse	agua mineral gaseosa	agoua minéral gasséossa
— — plate	— — sin gas	— — sinn gass
Entrée	una entrada	énntrada
Épices	los aliños	alignoss
Faim	el hambre	ambré

Farci	relleno	rréyéno
FERMÉ	CERRADO	çérrado
Foie	el hígado	ígado
Fourchette	un tenedor	ténédor
Fraîche	fresca	fréska
Frais	fresco	frésko
Frit	frito	frito
Frites	unas patatas fritas	patatass fritass
	(*AmL* : unas papas fritas)	papass fritass
Fromage	el queso	késso
Fruit	una fruta	frouta
Fruits de mer	los mariscos	mariskoss
Garçon	el camarero	kamaréro
	(*AmL* : el mozo)	moço
Gibier	la carne de caza	karné dé kaça
Gigot d'agneau	una pierna de cordero	piérna dé kordéro
Glace	un helado	élado
Glaçons	unos cubitos de hielo	koubitoss dé yélo
Goût	el gusto	gousto
Grillé	a la parrilla	a la parriya
Haricots en grains	las judías	rhoudiass
	(*Mex* : los frijoles)	fri'rholéss
	(*AmL* : los porotos)	porotoss
— verts	las judías verdes	rhoudiass vérdèss
	(*Mex* : los ejotes)	è'rhotèss
	(*AmL* : los porotos verdes)	porotoss vérdèss
Hors-d'œuvre	los entremeses	énntrémèssèss
	(*AmL* : la entrada)	énntrada
Huile	el aceite	açéité
— d'olive	— — de oliva	— dé oliva
Jus de fruits	un zumo de fruta	çoumo dé frouta
	(*AmL* : un jugo de fruta)	rhougo dé frouta
— de viande	jugo de carne	rhougo dé karné
Langoustines	los langostinos	lanngostinoss
Lapin	un conejo	konè'rho
Légumes	las verduras	vérdourass
Menu	el menú	ménou
Moutarde	la mostaza	mostaça
Mouton	el cordero	kordéro

Nappe	un mantel	manntèl
Nouilles	los tallarines	tayarinéss
	(*AmL* : los fideos)	fidéoss
Œufs brouillés	huevos revueltos	ouévoss rrévouéltoss
— à la coque	— pasados por agua	— passadoss por agoua
	(*AmL* : a la copa)	— a la kopa
— durs	— duros	— douross
— au plat	— estrellados	— éstréyadoss
	(*AmL* : — fritos)	— fritoss
Oignons	las cebollas	çéboyass
Omelette	una tortilla	tortiya
OUVERT	ABIERTO	abièrto
Pâtisserie	los pasteles	pastéléss
Petits pois	los guisantes	guissanntéss
	(*AmL* : las arvejas)	arvé'rhass
Pichet	un jarro	rharro
Piment	un pimiento, ají	pimiénnto, a'rhi
	(*Mex* : un chile)	tchilé
Plat	un plato	plato
Plat du jour	el plato del día	plato dèl dia
Point (à)	a punto	a pounnto
Poivre	la pimienta	pimiénnta
Pomme de terre	una patata	patata
	(*AmL* : una papa)	papa
Porc (viande)	la carne de cerdo	karné dè çérdo
	(*AmL* : — — — chancho)	— — tchanntcho
Portion	una porción	porçionn
Potage	una sopa	sopa
Poulet	un pollo	poyo
Riz	arroz	arroç
Rôti	asado	assado
Saignant	poco hecho	poko étcho
	(*AmL* : jugoso)	rhougosso
Salade	una ensalada	énnsalada
Sauce	una salsa	salsa
Sel	la sal	sal
— (sans)	sin sal	sinn sal
Serviette	una servilleta	sérviyéta

Sorbet	un sorbete	sorbété
	(*AmL* : un helado de agua)	élado dé agoua
Steak	un bistec	bistèk
	(*Arg* : un bife)	bifé
— haché	— — de carne picada	— dé karné pikada
Sucre	el azúcar	açoukar
Sucré	azucarado	açoukarado
Tarte	una tarta	tarta
Tasse	una taza	taça
Tendre	tierno	tièrno
Thé	el té	té
Tomate	un tomate	tomaté
	(*Mex* : un jitomate)	rhitomaté
Tranche	una tajada, rebanada	ta'rhada, rrébanada
Veau (viande)	la carne de ternera	karné dé tèrnéra
Verre	un vaso	vasso
Viande	la carne	karné
Vin	el vino	vino
— blanc	— — blanco	— blannko
— rouge	— — tinto	— tinnto
— rosé	— — rosado	— rrossado
Vinaigre	el vinagre	vinagrè
Volailles	las aves	avèss

Santé

salud   saloud

Il n'existe pas de maladies exotiques graves susceptibles de vous menacer lors de vos voyages en Espagne ou en Amérique latine. Vous devez simplement essayer d'éviter les troubles intestinaux produits par une nourriture parfois trop grasse ou trop épicée, et par des boissons trop glacées. Et si vous vous trouvez dans des endroits un peu isolés ou manquant d'hygiène, prenez garde, bien sûr, à l'eau que vous buvez.

Si vous allez dans les pays tropicaux, n'oubliez pas de vous munir de pommades anti-moustiques.

Les grandes villes latino-américaines sont dotées de bons hôpitaux et, en général, le personnel médical est très qualifié. Il est néanmoins évident que dans les petites villes ou dans les régions isolées, l'infrastructure sanitaire est beaucoup moins importante.

Par prudence, vérifiez avant votre départ la réglementation sur les vaccins pour les pays que vous visiterez et, pour voyager en toute tranquillité, prenez une assurance internationale de rapatriement.

En situation

J'ai une **allergie** à...
Soy alérgico(a) a...
soï alér'rhiko a...

Faites venir une **ambulance** !
¡ Lláme una ambulancia !
¡ yamé ouna amboulannçia !

Voulez-vous **appeler** un médecin ?
¿ Puede usted llamar a un médico, por favor ?
¿ pouédé oustéd yamar a ounn médiko, por favor ?

Où puis-je trouver un **dentiste** ?
¿ Dónde puedo encontrar a algún dentista ?
¿ donndé pouèdo énnkonntrar a algounn dénntista ?

Je ne connais pas mon **groupe sanguin**.
No sé cual es mi grupo sanguíneo.
no sé koual éss mi groupo sannguinéo.

Mon **groupe sanguin** est...
Mi grupo sanguíneo es...
mi groupo sannguinéo éss...

Je suis (il, elle est) **hémophile**.
Soy (es) hemofílico(a).
soï (éss) émofiliko(a).

Où se trouve l'**hôpital** ?
¿ Dónde está el hospital ?
¿ donndé ésta él ospital ?

Où est la **pharmacie la plus proche** ?
¿ Dónde está la farmacia más cercana ?
¿ donndé ésta la farmaçia mass çérkana ?

Je voudrais un **rendez-vous** le plus tôt possible.
Quisiera pedir hora lo antes posible.
kissièra pédir ora lo anntèss possiblé.

Envoyez-moi du **secours** !
¡ Mándeme alguna ayuda !
¡ manndémé algouna ayouda !

C'est **urgent** !
¡ Es urgente !
¡ èss our'rhénnté !

Spécialités médicales

Cardiologie	cardiología	kardiolo'rhia
Chirurgie	cirujía	çirou'rhia
Consultations	consultas	konnsoultass
Dermatologie	dermatología	dérmatolo'rhia
Gastro-entérologie	gastro-enterología	gastro-énntérolo'rhia
Gynécologie	ginecología	rhinékolo'rhia

Infirmerie	enfermería	énnférméria
Médecine générale	medicina general	médiçina rhénéral
Neurologie	neurología	néourolo'rhia
Obstétrique	obstetrícia	obstétriçia
Ophtalmologie	oftalmología	oftalmolo'rhia
Oto-rhino- laryngologie	otorrinolaringología	otorrinolarinngolo'rhiá
Pédiatrie	pediatría	pédiatria
Pneumologie	neumología	néoumolo'rhia
Radiographie	radiografía	rradiografia
Soins	curas	kourass
	(*AmL* : curaciones)	kouraçionéss
Urgences	urgencias	our'rhénnçiass
Urologie	urología	ourolo'rhia

Dentiste

dentista   dénntista

En situation

Je veux une **anesthésie**.
Quiero anestesia.
kièro anéstéssia.

> Il faut l'**arracher**.
> Hay que sacarlo(a).
> aï ké sakarlo(a).

Je ne veux pas que vous l'**arrachiez**.
No quiero que me lo(a) saque.
no kièro ké mé lo(a) saké.

> **Crachez** !
> ¡ Escupa !
> ¡ éskoupa !

Cette **dent** bouge.
Este diente (esta muela) está suelto(a).
ésté diénnté (ésta mouéla) ésta souélto(a).

J'ai cassé mon **dentier**.
Se me ha quebrado la dentadura (postiza).
sé mé a kébrado la dénntadoura (postiça).

    Il faut **extraire** la dent.
    Hay que sacar el diente (la muela).
    aï ké sakar él diénnté (la mouéla).

Ma **gencive** est douloureuse.
Me duelen las encías.
mé douélénn lass énnçiass.

J'ai très **mal** en bas... devant... au fond... en haut.
Me duele mucho abajo... adelante... al fondo... arriba.
mé douélé moutcho aba'rho... adélannté... al fonndo... arriba.

J'ai **perdu** mon **plombage**... ma couronne.
Se me ha caído el empaste... la corona.
sé mé a kaïdo él émpasté... la korona.

    Rincez-vous.
    Enjuáguese.
    énn'rhouaguéssé.

Je préférerais des **soins** provisoires.
Preferiría una cura provisoria.
préfériria ouna koura provissoria.

Vocabulaire

Abcès	un flemón	flémonn
	(*AmL* : un absceso)	abcésso
Anesthésie	la anestesia	anéstéssia
Appareil	un aparato	aparato
Bouche	la boca	boka
Bridge	un puente	pouénnté
Cabinet de consultation	consulta	konnsoulta
Carie	una caries	kariéss
Couronne	una corona	korona
Dent	un diente	diénnté
Dent de sagesse	la muela del juicio	mouéla dél rhouiçio

Dentier	la dentadura postiza	dénntad**ou**ra postiça
Gencive	las encías	énn**ç**iass
Gingivite	una gingivitis	rhinn'rhi**v**itiss
Incisive	un incisivo	innçiss**i**vo
Inflammation	una inflamación	innflama**ç**ionn
Mâchoire	la mandíbula	mann**di**boula
Molaire	una muela, un molar	mou**è**la, mol**a**r
Obturer	obturar	obtour**a**r
Pansement	un apósito	ap**o**ssito
Piqûre	una inyección	innyék**ç**ionn
Plombage	un empaste	émp**a**sté
	(*AmL* : una tapadura)	tapad**ou**ra
Saigner	sangrar	sanngr**a**r

Hôpital / médecin

hospital / ospit**a**l   médico / m**é**diko

En situation

J'**ai** des coliques... des coups de soleil... des
   courbatures... de la fièvre... des frissons... des
   insomnies... la nausée... des vertiges.
Tengo cólicos... quemaduras de sol... agujetas... fiebre...
   escalofríos... insomnios... náuseas... vértigos.
ténngo k**o**likoss... kémad**ou**rass dé sol... agou'rh**é**tass... fi**è**bré...
   éskalofri**o**ss... inns**o**mnioss... na**o**uss**é**ass... v**é**rtigoss.

   Des **analyses** sont nécessaires.
   Hay que hacer algunos análisis.
   a**ï** ké a**ç**ér alg**ou**noss anal**i**ssiss.

Combien vous dois-je ?
¿ Cuánto le debo ?
¿ kou**a**nnto lé d**é**bo ?

A quelle **heure** est la consultation ?
¿ A qué hora es la consulta ?
¿ a ké **o**ra éss la konns**ou**lta ?

Il faut aller à l'**hôpital**.
Hay que ir al hospital.
aï ké ir al ospital.

Vous avez une **infection**.
Usted tiene una infección.
oustéd tiéné ouna innfèkçionn.

J'ai **mal** ici... dans le dos... à la gorge... à la tête... au
ventre.
Me duele aquí... la espalda... la garganta... la cabeza... el
vientre.
mé douélé aki... la éspalda... la gargannta... la kabéça... èl
viénntré.

Je suis **malade**.
Estoy enfermo(a).
éstoï énnfèrmo(a).

Nous devons **opérer**.
Tenemos que operar.
ténémoss ké opérar.

Ouvrez la bouche.
Abra la boca.
abra la boka.

Je viens de la **part** du docteur...
Vengo de parte del doctor...
vènngo dé parté dèl doktor...

Je vais vous faire une **piqûre**.
Voy a ponerle una inyección.
voï a ponérlé ouna innyèkçionn.

Respirez à fond.
Respire profundamente.
rréspiré profounndaménnté.

Je ne me **sens** pas bien.
No me siento bien.
no mé siénnto biénn.

Je **suis** cardiaque... constipé(e)... enceinte.
Soy cardíaco(a)... estoy estreñido(a)... embarazada.
soï kardiako(a)... éstoï éstrégnido(a)... èmbaraçada.

Depuis combien de **temps** ?
¿ Desde cuándo ?
¿ désdé kouanndo ?

Êtes-vous vacciné contre le **tétanos** ?
¿ Le vacunaron contra el tétanos ?
¿ lé vakounaronn konntra él tétanoss ?

Tirez la langue.
Saque la lengua.
saké la lénngoua.

Vocabulaire

Abcès	un flemón	flémonn
	(*AmL* : un absceso)	abcésso
Allergique	alérgico	alér'rhiko
Ambulance	una ambulancia	amboulannçia
Ampoule	una ampolla	ampoya
Anesthésie	la anestesia	anéstéssia
Angine	una angina	ann'rhina
— de poitrine	— — de pecho	— dé pétcho
Appendicite	una apendicitis	apénndiçitiss
Artère	una arteria	artéria
Artérite	una arteritis	artéritiss
Articulation	una articulación	artikoulaçionn
Asthme	el asma	asma
Avaler	tragar	tragar
Avant-bras	el antebrazo	anntébraço
Blessure	una herida	érida
Bouche	la boca	boka
Bras	el brazo	braço
Brûlure	una quemadura	kémadoura
Cabinet de consultation	la consulta	konnsoulta
Cardiaque	cardíaco(a)	kardiako(a)
Cardiologie	cardiología	kardiolo'rhia
Cervicale	cervical	çérvikal
Cheveux	el pelo	pélo
Cheville	el tobillo	tobiyo

Chirurgie	cirujía	çirou'rhia
Choc (état de)	estado de choc	éstado dé tchok
Clavicule	la clavícula	klavikoula
Coccyx	el cóccix	kokçikss
Cœur	el corazón	koraçonn
Colique hépatique	un cólico hepático	koliko épatiko
— néphrétique	— — nefrítico	— néfritiko
Colonne vertébrale	la columna vertebral	koloumna vértébral
Constipation	el estreñimiento	éstrégnimiénnto
Consultation	una consulta	konnsoulta
Convulsion	una convulsión	konnvoulsionn
Coqueluche	la tos ferina	toss férina
	(AmL : — — convulsiva)	— konnvoulsiva
Côte	una costilla	kostiya
Cou	el cuello	kouéyo
Coude	el codo	kodo
Coup de soleil	las quemaduras de sol	kémadourass dé sol
Coupure	un corte, tajo	korté, ta'rho
Courbatures	agujetas	agou'rhétass
Crampe	un calambre	kalambré
Cuisse	el muslo	mouslo
Délire	el delirio	délirio
Dent	un diente	diénnté
Dentiste	dentista	dénntista
Dépression	la depresión	dépréssionn
Dermatologie	dermatología	dérmatolo'rhia
Diabétique	diabético(a)	diabétiko(a)
Diarrhée	una diarrea	diarréa
Digérer	digerir	di'rhérir
Doigt	un dedo	dédo
Dos	la espalda	éspalda
Douleur	un dolor	dolor
Droite (à)	a la derecha	a la dérétcha
Enceinte	embarazada	émbaraçada
Entorse	un esguince	ésguinnçé
Épaule	el hombro	ombro
Estomac	el estómago	éstomago
Fièvre	la fiebre	fiébré
Foie	el hígado	igado

Foulure	una torcedura	torcéd**oura**
Fracture	una fractura	frakt**oura**
Furoncle	un furúnculo	four**ou**nnkoulo
Gauche (à)	a la izquierda	a la içki**è**rda
Genou	la rodilla	rrodi**y**a
Gorge	la garganta	garg**a**nnta
Grippe	la gripe	gr**i**pé
Hanche	la cadera	kad**é**ra
Hématome	un hematoma	émat**o**ma
Hémophile	un hemofílico	émofiliko
Hémorroïdes	las almorranas	almorr**a**nass
	(*AmL* : las hemorroides)	émorroïd**é**ss
Indigestion	una indigestión	inndi'rhésti**o**nn
Infarctus	un infarto	innf**a**rto
Infection	una infección	innfékçi**o**nn
Inflammation	una inflamación	innflamaçi**o**nn
Insolation	una insolación	innsolaçi**o**nn
Intestins	los intestinos	innt**é**stinoss
Jambe	la pierna	pi**è**rna
Langue	la lengua	l**è**nngoua
Lèvres	los labios	l**a**bioss
Lombaires	lumbar	loumb**a**r
Mâchoire	la mandíbula	manndíboula
Main	la mano	m**a**no
Maternité	maternidad	mat**é**rnid**a**d
Médecin	médico	m**é**diko
Médecine générale	medicina general	médiçina rhénér**a**l
Médicament	una medicina	médiçina
	(*AmL* : un remedio)	rrém**é**dio
Morsure (chien)	una mordedura	mordéd**oura**
— (serpent)	una picadura	pikad**oura**
Muscle	un músculo	m**ou**skoulo
Nausée	una náusea	naouss**é**a
Nerf	un nervio	n**è**rvio
Nez	la nariz	nariç
Œil	el ojo	**o**'rho
Ordonnance	una receta	rréç**é**ta
Oreilles	los oídos	oïdoss
Oreillons	las paperas	pap**é**rass

Orgelet	un orzuelo	orçouélo
Os	un hueso	ouésso
Otite	una otitis	otitiss
Pancréas	el páncreas	pannkréass
Peau	la piel	piél
Pharmacie de garde	farmacia de guardia	farmaçia dé gouardia
	(*AmL* : — de turno)	— dé tourno
Pied	el pie	pié
Piqûre d'abeille	una picadura de abeja	pikadoura dé abé'rha
— d'insecte	una picadura	pikadoura
— de méduse	una irritación provocada por una medusa	irritaçionn provokada por ouna médoussa
Pleurésie	una pleuresía	pléouréssia
Poignet	el puño	pougno
Poitrine	el pecho	pétcho
Poumon	el pulmón	poulmonn
Prostate	la próstata	prostata
Rate	el bazo	baço
Refroidissement	un resfriado, enfriamiento	rrésfriado, énnfriamiénnto
Rein	el riñón	rrignonn
Respirer	respirar	rréspirar
Rhumatisme	el reumatismo	rréoumatismo
Rhume	un catarro, resfrío	katarro, rrésfrio
Rotule	la rótula	rrotoula
Rougeole	el sarampión	sarampionn
Rubéole	la rubeola	rroubéola
Sacrum	el sacro	sakro
Sang	la sangre	sanngré
Scarlatine	la escarlatina	éskarlatina
Sciatique	la ciática	çiatika
— (nerf)	el nervio ciático	nérvio çiatiko
Sein	un seno	séno
Selles	las heces, los excrementos	éçéss, ékskréménntoss
Sexe	el sexo	sékso
Sida	el sida	sida
Sinusite	la sinusitis	sinoussitiss
Somnifère	un somnífero	somniféro

Stérilet	un dispositivo intra-uterino (d.i.u.)	dispossitivo inntraoutérino (diou)
Système nerveux	el sistema nervioso	sistéma nérviosso
Talon	el talón	talonn
Tension	la tensión	ténnsionn
Tête	la cabeza	kabéça
Toux	la tos	toss
Trachée-artère	la traquearteria	trakéartéria
Tranquillisant	un tranquilizante	trannkiliçannté
Ulcère	una úlcera	oulçéra
Urine	la orina	orina
Varicelle	la varicela	variçéla
Veine	una vena	véna
Vertèbre	una vértebra	vértébra
Vésicule	la vesicula	véssikoula
Vessie	la vejiga	vé'rhiga
Visage	el rostro, la cara	rrostro, kara

Pharmacie

farmacia   farmaçia

L'indispensable

Pouvez-vous m'indiquer une pharmacie de garde ?
¿ Puede usted indicarme una farmacia de guardia ?
¿ pouédé oustéd inndikarmé ouna farmaçia dé gouardia ?

Avez-vous ce médicament sous une autre **forme** ?
¿ Tiene usted esta misma medicina en otra forma ?
¿ tiéné oustéd ésta misma médiçina énn otra forma ?

Avez-vous un médicament de même **formule** ?
¿ Tiene usted alguna medicina con la misma fórmula ?
¿ tiéné oustéd algouna médiçina konn la misma formoula ?

J'ai besoin d'un remède contre le **mal** de tête.
Necesito una medicina para el dolor de cabeza.
néçéssito ouna médiçina para él dolor dé kabéça.

Ce **médicament** se délivre seulement sur
   ordonnance.
Esta medicina se vende sólo con receta médica.
ésta médiçina sé vénndé solo konn rréçéta médika.

Pouvez-vous me **préparer cette ordonnance** ?
¿ Puede usted prepararme esta receta ?
¿ pouédé oustéd prépararmé ésta rréçéta ?

Avez-vous quelque chose **pour soigner la toux** ?
¿ Tiene usted algo para la tos ?
¿ tiéné oustéd algo para la toss ?

Avez-vous **quelque chose** pour arrêter la diarrhée ?
¿ Tiene usted algo para parar la diarrea ?
¿ tiéné oustéd algo para parar la diarréa ?

Vocabulaire

A jeun	en ayunas	énn ayounass
Alcool	el alcohol	alkol
Analyse	un análisis	analississ
Antidote	un antídoto	anntidoto
Antiseptique	un antiséptico	anntisséptiko
Aspirine	una aspirina	aspirina
Bandage	una venda	vénnda
Bouillotte	una bolsa de agua caliente	bolsa dé agoua kaliénnté
Calmant	un calmante	kalmannté
Cataplasme	una cataplasma	kataplasma
Collyre	un colirio	kolirio
Compresse	una compresa	kompréssa
Comprimé	una tableta, píldora	tabléta, píldora
Contraceptif	un anticonceptivo	anntikonnçéptivo
Coton	algodón	algodonn
Coup de soleil	las quemaduras de sol	kémadourass dé sol
Désinfectant	un desinfectante	déssinnféktannté
Gouttes pour le nez	gotas para la nariz	gotass para la nariç
— — les oreilles	— — los oídos	— — loss oïdoss
— — les yeux	— — los ojos	— — o'rhoss

Laxatif	un laxante	laksannté
Mouchoirs en papier	pañuelos de papel	pagnouéloss dé papél
Ordonnance	una receta	rréçéta
Pansement	un apósito	apossito
PHARMACIE DE GARDE	FARMACIA DE GUARDIA	farmaçia dé gouardia
	(*AmL* : — DE TURNO)	— dé tourno
Pilule contraceptive	la píldora anticonceptiva	píldora anntikonnçéptiva
Pommade pour brûlures	una pomada para quemaduras	pomada para kémadourass
— anti-infections	— antiinfecciones	— anntiinnfékçionéss
Préservatifs	preservativos	préssérvativoss
Produit anti-moustiques	un producto antimosquitos	prodoukto anntimoskitoss
Remontant	un estimulante	éstimoulannté
Serviettes hygiéniques	paños higiénicos	pagnoss i'rhénikoss
Sirop	un jarabe	rharabé
Somnifère	un somnífero	somniféro
Sparadrap	el esparadrapo	ésparadrapo
	(*AmL* : la tela emplástica)	téla émplastika
Suppositoires	unos supositorios	soupossitorioss
Tampax	un tampax	tampaks
Thermomètre	un termómetro	térmométro
Tranquillisant	un tranquilisante	trannkilissannté
Tricostéril	un(a) curita	kourita
Trousse d'urgence	un botiquín	botikinn
Vitamine C	vitamina C	vitamina çé

Souvenirs

souvenirs (recuerdos)   souvènir (rrèkouèrdoss)
ARTISANAT
artesanía   artèssania

En Espagne, laissez-vous tenter par les magnifiques objets et bijoux damasquinés de Tolède, les châles et mantilles de Séville, les dentelles et les objets en cuir repoussé de Grenade et Cordoue, les broderies, céramiques et verreries des Baléares et de beaucoup d'autres régions... Un conseil, pour les gourmands : n'oubliez pas de rapporter quelques « turrones » d'Alicante !

En Amérique latine, les amateurs d'artisanat seront comblés : les marchés sont vivants et colorés et débordent d'objets qui atteignent parfois une rare beauté.

Vous trouverez à la fin de ce chapitre une liste de quelques objets, bijoux et matériaux qui attireront certainement votre attention ; elle vous aidera dans vos achats.

L'indispensable

Bonjour !
¡ Buenos días !
¡ bouènoss diass !

Je voudrais **acheter**...
Quisiera comprar...
kissièra komprar...

J'aimerais...
Me gustaría...
mè goustaria...

Auriez-vous... ?
¿ Tendría usted... ?
¿ ténndria oustéd... ?

Avez-vous un **article** meilleur marché ?
¿ Tiene usted algún artículo más barato ?
¿ tiéné oustéd algounn artikoulo mass barato ?

Acceptez-vous les **chèques de voyage ?**
¿ Acepta usted los cheques de viaje ?
¿ açépta oustéd loss tchékéss dé via'rhé ?

Cela me **convient**.
Así está bien.
assi ésta biénn.

Combien cela **coûte-t-il** ?
¿ Cuánto vale ésto ?
¿ kouannto valé ésto ?

Moins cher... **moins** grand.
Menos caro... menos grande.
ménoss karo... ménoss granndé.

Pouvez-vous me **montrer** autre chose ?
¿ Puede usted enseñarme otra cosa ?
¿ pouédé oustéd énnségnarmé otra kossa ?

Plus grand... **plus** petit.
Más grande... más pequeño.
mass granndé... mass pékégno.

> Merci, au revoir.
> Gracias, adiós (hasta luego).
> graçiass, adioss (asta louégo).

En situation

Où y a-t-il une **boutique d'artisanat** ?
¿ Dónde hay alguna tienda de artesanía ?
¿ donndé aï algouna tiénnda dé artéssania ?

Cet objet est-il **fait main** ?
¿ Está hecho a mano este objeto ?
¿ ésta étcho a mano ésté ob'rhéto ?

Quels sont les objets **typiques** de votre région ?
¿ Cuáles son los objetos típicos de su región ?
¿ koua**l**éss sonn loss ob'rh**é**toss tipikoss dé sou rré'rhi**o**nn ?

Peut-on **visiter** l'atelier ?
¿ Se puede visitar el taller ?
¿ sé pou**é**dé vissitar él tay**è**r ?

Vocabulaire

Argent	la plata	plata
Armes de la ville	las armas de la ciudad	armass dé la çioud**a**d
Artisanat	la artesanía	artéssania
Atelier d'artiste	un taller de artista	tay**è**r dé artista
Bijoux	una joya, alhaja	rhoya, ala'rha
Bois	la madera	mad**é**ra
Boîte à musique	una cajita de música	ka'rh**i**ta dé m**o**ussika
Boucles d'oreilles	unos pendientes	pénndi**é**nnt**é**ss
	(*Mex* : unos aretes)	ar**é**t**é**ss
	(*AmL* : unos aros)	aross
Bracelet	una pulsera, un brazalete	pouls**é**ra, braçal**é**té
Broderie	el bordado	bordado
Cadeau	un regalo	rré**g**alo
Carte postale	una tarjeta postal	tar'rh**é**ta postal
Castagnettes	las castañuelas	kastagnou**é**lass
Cendrier	un cenicero	çéniç**é**ro
Châle	un chal	tchal
Chapeau	un sombrero	sombr**é**ro
Collier	un collar	koyar
Coton	el algodón	algodonn
Cuir	el cuero	kou**é**ro
— repoussé	— — repujado	— rré**p**ou'rhado
— (objets en)	objetos de cuero	ob'rh**é**toss dé kou**é**ro
Cuivre	el cobre	kobré
Damasquiné	damasquinado	damaskinado
Dentelle	los encajes	énnka'rhéss
Dessin	un dibujo	dib**ou**'rho
Écusson	un escudo	éskoudo
Émeraude	la esmeralda	ésm**é**ralda

Éventail	un abanico	abaniko
Exposition	una exposición	èkspossiçionn
Figure	una figura	figoura
Flûte	una flauta	flaouta
— des Andes	(*Pér* : una quena)	kèna
Guitare	una guitarra	guitarra
Jade	el jade	rhadé
Laine	la lana	lana
Lapis-lazuli	el lapizlázuli	lapiçlaçouli
Mantille	una mantilla	manntiya
Miniatures (monuments)	monumentos en miniatura	monoumènntoss ènn miniatoura
Objets typiques	objetos típicos	ob'rhètoss tipikoss
Obsidienne	la obsidiana	obsidiana
Onyx	el ónix	onikss
Or	el oro	oro
Osier	el mimbre	mimbré
Papier mâché	el papel maché	papèl matché
Peinture (tableau)	una pintura, un cuadro	pinntoura, kouadro
— sur écorce	(*Mex* : un amate)	amaté
Poncho	un poncho	ponntcho
	(*Mex* : un jorongo)	rhoronngo
— ouvert devant	(*Col* : una ruana)	rrouana
Poterie	la alfarería	alfarèria
	(*AmL* : la cerámica)	çèramika
Poupée	una muñeca	mougnèka
Sandales	las sandalias	sanndaliass
	(*Mex* : los huaraches)	ouaratchèss
Sculpture sur bois	una escultura en madera	èskoultoura ènn madèra
Spécialités locales	especialidades locales	èspéçialidadèss lokalèss
Tapis	una alfombra	alfombra
	(*Mex* : un tapete)	tapèté
Timbres de collection	unos sellos de colección	sèyoss dé kolékçionn
Tissage	los tejidos	té'rhidoss
Topaze	el topacio	topaçio
Turquoise	la turquesa	tourkèssa
Verre	el vidrio	vidrio
— soufflé	— — soplado	— soplado

Sports

deportes   depórtéss

Les sports pratiqués en Espagne sont sensiblement les mêmes que ceux que l'on connaît en France, avec cependant des degrés de popularité différents. Le football est certainement plus populaire qu'en France, tandis que le ski est beaucoup moins répandu (malgré les excellentes pistes des Pyrénées et de la sierra Nevada). La pelote basque occupe une place importante tant en Espagne qu'en Amérique latine (où elle est désignée de son nom basque « jai alai »). Golf, tennis, polo, basket-ball, chasse, pêche, boxe, équitation, etc., sont autant de sports pratiqués ou suivis par de nombreux amateurs.

En Amérique latine, le roi des sports est incontestablement le football. L'Argentine s'arrête le jour du match opposant Boca et River Plate, les deux plus grandes équipes de Buenos Aires.

La partie australe de l'Amérique latine est célèbre aussi pour ses stations de sports d'hiver dans les Andes (Bariloche en Argentine, Portillo au Chili), où de nombreuses compétitions internationales ont lieu alors qu'en Europe nous sommes en plein été... Quant au cyclisme, nous connaissons bien en France les exploits des coureurs colombiens...

En situation

Où peut-on pratiquer l'équitation... le golf... la natation... le surf... le tennis... la voile ?

¿ Dónde se puede practicar equitación... golf... natación... surf... tenis... vela ?

¿ donndé sé pouédé praktikar ékitaçionn... golf... nataçionn... seurf... téniss... véla ?

Je voudrais **assister** à un match de... où a-t-il lieu ?
¿ Quisiera asistir a un partido de... ¿ dónde es ?
¿ kissiéra assistir a ounn partido dé... ¿ donndé éss ?

Où faut-il acheter les **billets**... réserver ?
¿ Dónde se compran las entradas... se reserva ?
¿ donndé sé komprann lass énntradass... sé rréssérva ?

Quel est le prix de l'**entrée** ?
¿ Cuánto vale la entrada ?
¿ kouannto valé la énntrada ?

Quelles sont les **équipes** ?
¿ Qué equipos juegan ?
¿ ké ékiposs rhouégann ?

Quelles sont les **formalités** à remplir pour obtenir le
  permis de chasse... de pêche ?
¿ Qué trámites hay que hacer para conseguir la licencia
  de caza... de pesca ?
¿ ké tramitéss aï ké açér para konnséguir la liçénnçia dé kaça...
  dé péska ?

Pouvez-vous m'indiquer les **heures** d'ouverture ?
¿ Puede usted indicarme las horas de abertura ?
¿ pouédé oustéd inndikarmé lass orass dé abértoura ?

J'aimerais prendre des **leçons**.
Me gustaría tomar lecciones.
mé goustaria tomar lékçionéss.

Où peut-on louer le **matériel**... l'équipement ?
¿ Dónde se puede alquilar el material... el equipo ?
¿ donndé sé pouédé alkilar él matérial... él ékipo ?

Peut-on **nager** sans danger dans cette rivière... le long de
  cette plage ?
¿ Se puede nadar sin peligro en este río... a lo largo de
  esta playa ?
¿ sé pouédé nadar sinn péligro énn ésté rrio... a lo largo dé
  ésta playa ?

Y a-t-il une **patinoire** ?
¿ Hay algún patinadero ?
¿ aï algounn patinadéro ?

Où peut-on **pêcher**?
¿ Dónde se puede pescar?
¿ donndé sé pouédé péskar?

Y a-t-il des **pistes** pour toutes les catégories de **skieurs**?
¿ Hay pistas para todas las categorías de esquiadores?
¿ aï pistass para todass lass katégoriass dé éskiadoréss?

Comment peut-on rejoindre les **pistes**?
¿ Cómo se puede llegar a las pistas?
¿ komo sé pouédé yégar a lass pistass?

Quelles sont les **prévisions météorologiques**?
¿ Cuáles son las previsiones meteorológicas?
¿ koualéss sonn lass prévissionéss météorolo'rhikass?

Quels sont les **prix** à l'heure... à la demi-journée... à la
     journée... à la semaine?
¿ Cuáles son las tarifas por hora... por medio día... por
     día... por semana?
¿ koualéss sonn lass tarifass por ora... por médio dia... por dia...
     por sémana?

Je voudrais faire une **randonnée** en montagne.
Quisiera hacer una excursión en las montañas.
kissiéra açér ouna ékskoursionn énn lass monntagnass.

Le match est-il **retransmis à la télévision**?
¿ Transmiten el partido por la televisión?
¿ trannsmiténn él partido por la télévissionn?

Vocabulaire

Arbitre	el árbitro	**a**rbitro
Articles de sports	los artículos de deporte	artikouloss dé dé**po**rté
Athlétisme	el atletismo	atlé**ti**smo
Balle	una pelota	pé**lo**ta
Ballon	un balón	bal**o**nn
Basket-ball	el basket-ball, el baloncesto	**ba**skét-bol, balonnç**é**sto
Bicyclette	la bicicleta	biçikl**é**ta

Boxe	el boxeo	bokséo
But	un gol	gol
Canne de golf	un palo de golf	palo dé golf
Championnat	un campeonato	kampéonato
Chronomètre	un cronómetro	kronométro
Club	un club	kloub
Combinaison de plongée	un traje de submarinismo	tra'rhé dé soubmarinismo
Corner	un tiro de esquina, corner	tiro dé éskina, kornér
Corps mort	un cuerpo muerto	kouérpo mouérto
Course	una carrera	karréra
Cyclisme	el ciclismo	çiklismo
Deltaplane	el deltaplano	déltaplano
Disqualification	una descalificación	déskalifikaçionn
Entraînement	el entrenamiento	énntrénamiénnto
Équipe	un equipo	ékipo
Escrime	la esgrima	ésgrima
Essai	un ensayo	énnsayo
Finale	una final	final
Football	el fútbol	foutbol
Gagner	ganar	ganar
Golf	el golf	golf
Golf miniature	— — miniatura	— miniatoura
Gymnastique	la gimnasia	rhimnassia
Haltères	las halteras	altérass
Hippodrome	un hipódromo	ipodromo
Hockey sur gazon	el hockey sobre césped	hokéi sobré çéspéd
— — glace	— — — hielo	— — yélo
Hors-jeu	fuera de juego	fouéra dé rhouégo
Jeux olympiques	los juegos olímpicos	rhouégoss olimpikoss
Jouer	jugar	rhougar
Joueur	un jugador	rhougador
Lancer	lanzar	lannçar
Lutte	la lucha	loutcha
Marathon	la maratón	maratonn
Marche	la marcha	martcha
Marquer un but	marcar (meter) un gol	markar, métér, ounn gol
Match	un partido	partido
Météo	la meteorología	météorolo'rhia

Mi-temps (première)	el primer tiempo	primér tiémpo
— (seconde)	segundo tiempo	ségounndo tiémpo
Motocyclisme	el motociclismo	motoçiklismo
Panier	el cesto	çésto
Parier	apostar	apostar
Pédalo	un pedaló	pédalo
Penalty	un tiro penal	tiro pénal
Perdre	perder	pérdér
Ping-pong	el tenis de mesa	téniss dé méssa
Piste	la pista	pista
Point	un punto	pounnto
Polo	el polo	polo
Record	un record	rrékor
Ring	el ring	rring
Rugby	el rugby	rragbi
Saut	el salto	salto
Shoot	un tiro	tiro
Sprinter	un sprinter	sprinntér
Stade	un estadio	éstadio
Supporteurs	los hinchas	inntchass
Surface de réparation	el área penal	aréa pénal
Tactique	una táctica	taktika
Terrain de football	un campo de fútbol	kampo dé foutbol
	(*AmL :* una cancha de fútbol)	kanntcha dé foutbol
— de golf	un campo de golf	kampo dé golf
Touche	un saque de banda, tiro de lado	saké dé bannda, tiro dé lado
Trou	un hoyo	oyo
Vélodrome	un velódromo	vélodromo
Victoire	una victoria	viktoria
Vol à voile	el vuelo sin motor	vouélo sinn motor

Chasse

caza   kaça

Vocabulaire

Abri	un escondite	éskonndité
Affût (être à l')	estar al acecho	éstar al açétcho
Amorce	el cebo	çébo
Armurerie	una armería	arméria
Armurier	un armero	arméro
Balle	una bala	bala
Bandoulière	una bandolera	banndoléra
Battue	una batida	batida
Bottes	las botas	botass
Canon	el cañón	kagnonn
Carabine	una carabina	karabina
Carnier	un morral	morral
Cartouche	un cartucho	kartoutcho
Chasse	la caza	kaça
— à courre	una montería	monntéria
CHASSE GARDÉE	COTO DE CAZA	koto dé kaça
CHASSE INTERDITE	PROHIBIDA LA CAZA	proïbida la kaça
Chasseur	un cazador	kaçador
Chien de chasse	un perro de caza	pérro dé kaça
Couteau	un cuchillo	koutchiyo
Crosse	la culata	koulata
Détente	el gatillo	gatiyo
Épauler	encarar	énnkarar
Fermée	cerrada	çérrada
Forêt	el bosque	boské
Fusil	la escopeta	éskopéta
Garde-chasse	un guarda de caza	gouarda dé kaça
Gibecière	un morral	morral
Gibier à plume	la caza de pluma	kaça dé plouma
— à poil	— — de pelo	— dé pélo
Lunette	el visor	vissor
Meute	una jauría	rhaouria

Mirador	un mirador	mirador
Ouverte	abierta	abiérta
Permis de chasse	la licencia de caza	liçénnçia dé kaça
Plaine	la llanura	yanoura
	(*AmL* : el llano)	yano
Rabatteur	el ojeador	o'rhéador
Rendez-vous	una cita	çita
Réserve	una reserva	rréssérva
Sécurité (d'une arme)	el seguro	ségouro
Taillis	un bosquecillo	boskéçiyo
Tirer	disparar	disparar
Vallée	un valle	vayé
Veste de chasse	una cazadora	kaçadora

Équitation

equitación ékitaçionn

Vocabulaire

Antérieurs (les)	los anteriores	anntérioréss
Assiette	el equilibrio	ékilibrio
Bombe	el casquete	kaskété
Bottes	las botas	botass
Bouche	la boca	boka
Boulets	los menudillos	ménoudiyoss
Brides	las riendas	rriénndass
Cabrer	encabritarse	énnkabritarsé
Canon	el cañón	kagnonn
Cheval	un caballo	kabayo
Concours hippique	un concurso hípico	konnkourso ipiko
Course d'obstacles	una carrera de obstáculos	karréra dé obstakouloss
Cravache	la fusta	fousta
Culotte de cheval	un pantalón de equitación	panntalonn dé ékitaçionn
Dos	el lomo	lomo
Écuyer	un jinete	rhinété
Encolure	el cuello	kouéyo

Éperons	las espuelas	éspouélass
Étriers	los estribos	éstriboss
Étrivières	las estriberas	éstribérass
Filet	el bridón	bridonn
Galop	el galope	galopé
Garrot	la cruz	krouç
Genou	la rodilla	rrodiya
Jument	una yegua	yégoua
Longe	un ronzal	rronnçal
Manège	el picadero	pikadéro
Mors	el freno	fréno
Obstacle	un obstáculo	obstakoulo
Parcours	un recorrido	rrékorrido
Pas	el paso	passo
Polo	el polo	polo
Pommeau	la perilla	périya
Poney	un poney	ponéi
Postérieurs	los posteriores	postérioréss
Promenade à cheval	un paseo, una vuelta a caballo	passéo, vouélta a kabayo
Rênes	las riendas	rriénndass
Rivière	un río	rrio
Robe	la capa	kapa
Ruer	dar coces (*AmL* : dar patadas)	dar koçéss — patadass
Sabots	los cascos	kaskoss
Sangle	la cincha	çinntcha
Sauter	saltar	saltar
Selle	la silla (*AmL* : la montura)	siya monntoura
Tapis de selle	una manta sudadera	mannta soudadéra
Trot	el trote	troté

Montagne

montaña   monntagna

Vocabulaire

Alpinisme	el alpinismo	alpinismo
Anorak	un anorak	anorak
	(*AmL :* una parca)	parka
Après-ski	las botas « après-skis »	botass apréskiss
Ascension	la ascensión	açénnsionn
Avalanche	una avalancha	avalanntcha
Bâtons	los bastones	bastonéss
Bivouac	el vivac	vivak
Blouson	una cazadora	kaçadora
	(*Mex :* un saco sport)	sako éspor
	(*AmL :* una chaqueta	tchakéta éspor
	sport)	
Bobsleigh	un bobsleigh	bobslé
Brouillard	la niebla	niébla
Chalet	un chalet	tchalé
Chaleur	el calor	kalor
Chaussettes	los calcetines	kalçétinéss
Chaussures	los zapatos	çapatoss
Chute	una caída	kaïda
Corde	una cuerda	kouérda
Cordée	una cordada	kordada
Crampon	un crampón	kramponn
Couloir	un pasillo, paso	passiyo, passo
Couteau	un cuchillo	koutchiyo
DANGER	PELIGRO	péligro
Dégel	el deshielo	désyélo
Dérapage	un resbalón	rrésbalonn
Descente (ski)	el descenso	déçénnso
Excursion	una excursión	ékskoursionn
Faire un détour	dar una vuelta	dar ouna vouélta
Fondre	derretir	dérrétir
Fondue	derretida	dérrétida
Froid	el frío	frio

Funiculaire	el funicular	founikoular
Gants	los guantes	gouanntéss
Gelé	helado	élado
Gelée	la helada	élada
Glace	el hielo	yélo
Glacier	un glaciar	glaçiar
	(*AmL* : un ventisquero)	vénntiskéro
Grimper	trepar, escalar	trépar, éskalar
Guide	un guía	guia
Halte	un alto, una parada	alto, parada
Leçon	una lección, clase	lékçionn, klassé
Louer	alquilar, arrendar	alkilar, arrénndar
Luge	un pequeño trineo	pékégno trinéo
Lunettes	unas gafas	gafass
	(*AmL* : unos anteojos)	anntéo'rhoss
Moniteur	un monitor	monitor
Montée	la subida	soubida
Mousqueton	un mosquetón	moskétonn
Neige damée	nieve apisonada	niévé apissonada
— gelée	— helada	— élada
— poudreuse	— polvorienta	— polvoriénnta
Névé	un nevero	névéro
Pantalon	un pantalón	panntalonn
Patinage	el patinaje	patina'rhé
Patinoire	un patinadero	patinadéro
Patins	los patines	patinéss
Pente	una pendiente	pénndiénnté
Piolet	un piolet	piolét
Piste	una pista	pista
Piton	un pitón	pitonn
Pluie	la lluvia	youvia
Porte (slalom)	una puerta (slalom)	pouérta (éslalom)
Rappel (corde de)	la cuerda de emergencia	kouérda dé émér'rhénnçia
Ravin	una quebrada	kébrada
Redoux	un aumento de temperatura	aouménnto dé témpératoura
Refuge	un refugio	rréfou'rhio
Remonte-pente	un telesquí	téléski
Roche	una roca	rroka

Sac à dos	una mochila	motchila
Sentier	un sendero	sénndéro
Skis	los esquíes	éskiéss
— de descente	— — de descenso	— dé déçénnso
— de fond	— — de fondo	— dé fonndo
Slalom	el slalom	éslalom
Sommet	la cumbre	koumbré
Sports d'hiver	deportes de invierno	déportéss dé innviérno
Surplomb	una saliente	saliénnté
Téléférique	un teleférico	téléfériko
Température	la temperatura	témpératoura
Tempête de neige	una tormenta de nieve	torménnta dé niévé
Tente	una tienda	tiénnda
Torrent	un torrente	torrénnté
Traces	huellas	ouéyass
Traîneau	un trineo	trinéo
Tremplin	un trampolín	trampolinn
Vallée	el valle	vayé
Varappe	el escalamiento	éskalamiénnto

Sports nautiques

deportes náuticos   déportéss naoutikoss

Pêche

pesca   péska

Vocabulaire

Accastillage	la obra muerta	obra mouérta
Amarrer	amarrar	amarrar
Anneau	una argolla	argoya
Appât	el cebo	çébo
Articles de pêche	los artículos de pesca	artikouloss dé péska
BAIGNADE INTERDITE	PROHIBIDO BAÑARSE	proïbido bagnarsé

Barque	una barca	barka
	(*AmL* : un bote)	boté
Barre (direction)	el timón	timonn
— (vagues)	el rompeolas	rrompéolass
Bassin	una dársena	darséna
Bateau à moteur	una motora	motora
	(*AmL* : una lancha a motor)	lanntcha a motor
— à rames	un bote de remos	boté dè rrémoss
— à voiles	un velero	vélèro
Bonnet	una gorra	gorra
Bottes	las botas	botass
Bouée	el salvavidas	salvavidass
Brasse	la braza	braça
Cabine	un camarote	kamaroté
Canne à pêche	una caña de pescar	kagna dé péskar
Canoë	una canoa	kanoa
Canot	un bote, una lancha	boté, lanntcha
Ceinture (plombs)	un cinturón (plomo)	çinnttouronn (plomo)
— de sauvetage	— — salvavidas	— salvavidass
Chaise-longue	una tumbona	toumbona
	(*AmL* : una silla de lona)	siya dé lona
Chapeau	un sombrero	sombrèro
Courant	la corriente	korriénnté
Couteau	un cuchillo	koutchiyo
Croisière	un crucero	krouçéro
Crowl	el crowl	krol
DANGER	PELIGRO	péligro
Dérive	la deriva	dériva
Eau (point d')	un punto de agua	pounnto dé agoua
Embarcadère	el embarcadero	émbarkadéro
Entraînement	el entrenamiento	énntrénamiénnto
Étang	una laguna	lagouna
Fil	el hilo	ilo
Filet	una red	rréd
Flèche	una flecha	flètcha
Flotteur	un flotador	flotador
Foc	un foque	foké
Fusil	un fusil	foussil

Hameçon	un anzuelo	annçouélo
Harpon	un harpón	arponn
Hélice	una hélice	éliçé
Hors-bord	un fuera de borda	fouéra dé borda
Lac	un lago	lago
Leçon	una lección, clase	lékçionn, klassé
Ligne	un sedal	sédal
Louer	alquilar, arrendar	alkilar, arrénndar
Maillot de bain	un traje de baño	tra'rhé dé bagno
Maître nageur	un bañero	bagnéro
	(*AmL :* un profesor de natación)	proféssor dé nataçionn
Marée basse	la marea baja	maréa ba'rha
— haute	— — alta	— alta
Masque	una máscara	maskara
Mât	el mástil	mastil
Matelas	un colchón	koltchonn
— pneumatique	— — inflable	— innflablé
Mer	el mar	mar
Moniteur	un monitor	monitor
Mordre (ça mord)	morder, picar	mordér, pikar
Mouillage	el fondeo	fonndéo
Moulinet	un carrete	karrété
Nage libre	el estilo libre	éstilo libré
— sur le dos	— — espaldas	— éspaldass
Nager	nadar	nadar
Natation	la natación	nataçionn
Palmes	las aletas	alétass
Parasol	un quitasol	kitassol
Pêche	la pesca	péska
— au lancer	— — al lanzado	lannçado
PÊCHE INTERDITE	PROHIBIDA LA PESCA	proïbida la péska
Permis de pêche	la licencia de pesca	liçénnçia dé péska
Pied (avoir)	hacer (tener) pie	açér (ténér) pié
Piscine chauffée	una piscina calentada	piçina kalénntada
— à ciel ouvert	— — descubierta	— déskoubiérta
— couverte	— — cubierta	— koubiérta
Plage	una playa	playa

Planche à voile	una tabla de vela	tabla dé véla
— de surf	— — de surf	— dé seurf
Plombs	los plomos	plomoss
Plongée (bouteille)	el submarinismo con oxígeno	soubmarinismo konn oksi'rhéno
— libre	— — libre (*AmL* : el buceo)	— libré bouçéo
Plongeon	una zambullida	çambouyida
Poisson	un pez, pescado	péç, péskado
Pont	un puente	pouénnté
Pont du bateau	la cubierta	koubiérta
Quille	la quilla	kiya
Rames	los remos	rrémoss
Rive	la orilla	oriya
Rivière	un río	rrio
Ruisseau	un arroyo	arroyo
Sable	la arena	aréna
Safran (gouvernail)	el azafrán	açafrann
Secours	el socorro	sokorro
Ski nautique	el esquí acuático	éski akouatiko
Sortie en mer	un paseo, una vuelta en barco	passéo, vouélta énn barko
Station balnéaire	un balneario	balnéario
Suroît	un sueste	souésté
Température	la temperatura	témpératoura
Tempête	una tormenta	torménnta
Tuba	un tubo respiratorio	toubo rréspiratorio
Vague	una ola	ola
Vent	el viento	viénnto
Voile	la vela	véla
Yacht	un yate	yaté

Tennis

tenis   téniss

Vocabulaire

Arbitre	el árbitro	arbitro
Balle	la pelota	pélota
Chaussures de tennis	las zapatillas de tenis	çapatiyass dé téniss
Classement	la clasificación	klassifikaçionn
Corde	una cuerda	kouérda
Couloir	la banda	bannda
Coup droit	un derechazo, tiro recto	dérétchaço, tiro rrékto
Court de tennis	una pista de tenis	pista dé téniss
	(*AmL* : una cancha de tenis)	kanntcha dé téniss
Double	los dobles	dobléss
Entraînement	el entrenamiento	énntrénamiénnto
Faute	una falta	falta
Filet	la red	rréd
Jeu	el juego	rhouégo
Jouer au tennis	jugar tenis	rhougar téniss
Leçon	una lección, clase	lékçionn, klassé
Match	un partido	partido
Match nul	un empate	émpaté
Moniteur	un monitor	monitor
Partenaire	el compañero de juego	kompagnéro dé rhouégo
Raquette	la raqueta	rrakéta
Revers	un golpe de revés	golpé dé rrevéss
Service	el servicio	sérviçio
Short	un short	short
Simple	un simple	simplé
Smash	un smash	smatch
	(*AmL* : un remache)	rrématché
Tension des cordes	la tensión de las cuerdas	ténnsionn dé lass kouérdass
Volée	la volea	voléa

Tabac

estanco   éstannko

Vous trouverez tant en Espagne qu'en Amérique latine la plupart des marques de cigarettes étrangères connues.

En Amérique latine, le bureau de tabac (« estanco ») est pratiquement inexistant. Pour acheter des cigarettes, il faut aller dans un bar, dans certains magasins d'alimentation et supermarchés, et surtout au « kiosco » qui vend aussi journaux, bonbons, billets de loterie, stylos, briquets, etc.

L'indispensable

Bonjour !
¡ Buenos días !
¡ bouénoss diass !

Je voudrais **acheter**...
Quisiera comprar...
kissiéra komprar...

J'**aimerais**...
Me gustaría...
mé goustaria...

Auriez-vous... ?
¿ Tendría usted... ?
¿ ténndria oustéd... ?

Avez-vous un **article** meilleur marché ?
¿ Tiene usted algún artículo más barato ?
¿ tiéné oustéd algounn artikoulo mass barato ?

Cela me **convient**.
Así está bien.
assi ésta biènn.

Combien cela **coûte**-t-il ?
¿ Cuánto vale ésto ?
¿ kouannto valé ésto ?

Moins grand.
Menos grande.
ménoss granndé.

Pouvez-vous me **montrer** autre chose ?
¿ Puede usted enseñarme otra cosa ?
¿ pouédé oustéd énnségnarmé otra kossa ?

Plus grand... **plus** petit.
Más grande... más pequeño.
mass granndé... mass pékégno.

Merci, au revoir.
Gracias, adiós (hasta luego).
graçiass, adioss (asta louégo).

En situation

Où y a-t-il un marchand de tabac ?
¿ Dónde hay un estanco ?
¿ donndé aï ounn éstannko ?

Je voudrais une **cartouche**... un paquet de cigarettes
américaines... anglaises... françaises.
Quisiera comprar un cartón... un paquete de cigarrillos
americanos... ingleses... franceses.
kissiéra komprar ounn kartonn... ounn pakété dé çigarriyoss
amérikanoss... innglésséss... frannçésséss.

Pouvez-vous **changer** la pierre de mon briquet...
recharger mon briquet ?
¿ Puede usted cambiar la piedra de mi mechero... cargar
mi mechero ?
¿ pouédé oustéd kambiar la piédra dé mi métchéro... kargar mi
métchéro ?

Vocabulaire

Allumettes	unas cerillas	çériyass
	(*AmL* : unos cerillos, fósforos)	çériyoss, fosfoross
Briquet	un mechero, encendedor	métchéro, énnçénndédor
Bureau de tabac	el estanco	éstannko
Cartouche	un cartón	kartonn
Cendrier	un cenicero	çéniçéro
Cigares	unos puros	pouross
Cigarettes blondes	unos cigarrillos rubios	çigarriyoss rroubioss
— — brunes	— — negros	— négross
Cure-pipe	una escobilla para pipa	éskobiya para pipa
Essence	gasolina	gassolina
	(*AmL* : bencina, nafta)	bénnçina, nafta
Étui	un estuche	éstoutché
Filtre (avec)	con filtro	konn filtro
— (sans)	sin —	sinn —
Fume-cigarette	una boquilla	bokiya
Mèche	la mecha	métcha
Papier à cigarettes	papel de cigarrillos	papél dé çigarriyoss
Paquet	una cajetilla	ka'rhétiya
Pierre à briquet	una piedra de mechero, de encendedor	piédra dé métchéro, dé énnçénndédor
Pipe	una pipa	pipa
Recharge de gaz	una carga de gas	karga dé gass
Tabac	el tabaco	tabako

Taxi

taxi   taksi

Que ce soit en Espagne ou en Amérique latine les taxis sont toujours équipés d'un taximètre. Néanmoins, et pour éviter toute discussion ultérieure, lorsque vous réalisez un trajet plus long (aéroport, visite de la ville), il est souhaitable que vous fixiez le prix à l'avance.

Le pourboire n'est pas du tout obligatoire, sauf si le chauffeur vous rend un service particulier.

Dans de nombreuses villes latino-américaines, il existe des taxis « collectifs » : ce sont des voitures qui prennent jusqu'à cinq passagers et qui réalisent un parcours déterminé, généralement de la périphérie vers le centre ville. Le billet est plus cher que celui de l'autobus mais très inférieur à celui d'un taxi normal.

En situation

Pouvez-vous appeler un taxi ?
¿ Puede usted llamar un taxi ?
¿ pou**é**dé oust**é**d yamar ounn t**a**ksi ?

Où est la station de taxis la plus proche ?
¿ Dónde está la parada de taxis más cercana ?
¿ d**o**nndé **é**st**a** la par**a**da dé t**a**ksiss mass çérk**a**na ?

Arrêtez-moi ici, s'il vous plaît.
Déjeme aquí, por favor.
d**é**'rhémé ak**i**, por fav**o**r.

Pouvez-vous m'**attendre** ?
¿ Puede usted esperarme ?
¿ pou**é**dé oust**é**d éspérarmé ?

Combien prenez-vous pour aller à... ?
¿ Cuánto cobra usted para ir a... ?
¿ kouannto kobra ousted para ir a... ?

Combien vous dois-je ?
¿ Cuánto le debo ?
¿ kouannto lé débo ?

Êtes-vous **libre** ?
¿ Está libre ?
¿ ésta libré ?

Je suis **pressé**.
Tengo prisa.
ténngo prissa.

Je suis en **retard**.
Estoy atrasado.
éstoï atrassado.

Je voudrais faire un **tour dans la ville**.
Quisiera dar una vuelta por la ciudad.
kissiéra dar ouna vouélta por la çioudad.

Vocabulaire

Bagage	el equipaje	ékipa'rhé
Compteur	el taximetro	taksimétro
LIBRE	LIBRE	libré
Pourboire	la propina	propina
Prix	el precio	préçio
STATION DE TAXIS	PARADA DE TAXIS	parada dé taksiss
Supplément	un suplemento	souplémennto
Tarif de nuit	la tarifa nocturna	tarifa noktourna
Taxi	un taxi	taksi

Temps / Climat

tiempo   tiémpo / **clima**   klíma

En situation

Quel temps va-t-il faire aujourd'hui ?
¿ Cómo va a estar el tiempo hoy ?
¿ komo va a éstar él tiémpo oï ?

L'aiguille du **baromètre** est sur « variable ».
La aguja del barómetro está en « variable ».
la agou'rha dèl barométro ésta énn variablé.

Il y a du **brouillard** épais dans la vallée.
Hay una niebla densa en el valle.
aï ouna niébla dénnsa énn él vayé.

Il fait **chaud** et lourd.
Hace calor y está bochornoso.
açé kalor i ésta botchornosso.

Le **ciel** est clair, il va faire beau et froid... beau et chaud.
El cielo está claro, el tiempo estará bueno y frío... bueno
    y caluroso.
él çiélo ésta klaro, el tiémpo éstara bouéno i frio... bouéno i
    kalourosso.

Il **gèle**.
Está helando.
ésta élanndo.

Les routes sont **gelées**, il faut mettre des pneus neige.
Las carreteras están con hielo, hay que poner los
    neumáticos para nieve.
lass karrétérass éstann konn yélo, aï ké ponér loss néoumatikoss
    para niévé.

Il **grêle**.
Está granizando.
ésta graniçanndo.

Il **neige**.
Está nevando.
ésta névanndo.

Les **nuages** sont gris et bas, il pourrait bien pleuvoir.
Las nubes están grises y bajas, es probable que llueva.
lass noubèss éstann grisséss i ba'rhass, éss probablé kè
youéva.

Il **pleut**.
Está lloviendo.
ésta yoviénndo.

Il va **pleuvoir**... neiger.
Va a llover... nevar.
va a yovèr... névar.

La **pluie**... l'orage menace.
Es posible que llueva... que haya una tormenta.
éss possiblé kè youéva... kè aya ouna torménnta.

Il fait un **temps** chaud et sec depuis... jours.
El tiempo está caluroso y seco desde hace.. días.
èl tiémpo ésta kalourosso i séko désdé açé... diass.

Il **tonne**.
Hay truenos.
aï trouénoss.

Il **vente**.
Hay viento.
aï viénnto.

Vocabulaire

Air	el aire	aïré
Averse	un aguacero, chubasco	agouaçéro, tchoubasko
Beau	hermoso, bueno	érmosso, bouéno
Bleu	azul	açoul

Briller	brillar	briyar
Brouillard	la niebla	nièbla
Brume	la bruma	brouma
Chaleur	el calor	kalor
Chaud	caliente, caluroso	kaliènnté, kalourosso
Ciel	el cielo	çiélo
Clair	claro	klaro
Climat	el clima	klima
Couvert	cubierto	koubièrto
Dégagé	despejado	déspé'rhado
Dégel	el deshielo	désyélo
Éclair	un relámpago	rrélampago
Éclaircie	aclarar *(verbe)*	aklarar
Frais	fresco	frésko
Froid	frío	frio
Se gâter	descomponerse	déskomponèrsé
(le temps)	(el tiempo)	èl tièmpo
	(*AmL* : echarse a perder)	étcharsé a pérdèr
Gelé(e)	helado(a)	élado(a)
Glace	el hielo	yélo
Grêle	el granizo	graniço
Gris	gris	griss
Humide	húmedo	oumédo
Mouillé	mojado	mo'rhado
Neige	la nieve	nièvé
Nuage	una nube	noubé
Nuageux	nublado	noublado
Orage	una tormenta	tormènnta
Ouragan	un huracán	ourakann
Parapluie	un paraguas	paraguass
Pluie	la lluvia	youvia
Pluvieux	lluvioso	youviosso
Sec	seco	séko
Soleil	el sol	sol
Sombre	obscuro	obskouro
Température	la temperatura	témpératoura
Tempéré	temperado	témpérado
Tempête	una tempestad, un temporal	témpéstad, témporal

Temps (beau)	buen tiempo	bouénn tiémpo
— (mauvais)	mal tiempo	mal tiémpo
— variable	tiempo variable	tiémpo variablé
Tropical	tropical	tropikal
Vent	el viento	viénnto
Verglacé	helado, con hielo	élado, konn yélo

Temps / Durée

tiempo   tiémpo / **duración**   douraçionn

En situation

Quelle heure est-il ?
¿ Qué hora es ?
¿ ké **o**ra éss ?

Il est quatre heures dix... et quart... et demie... moins
le quart.
Son las cuatro diez... y cuarto... y media... menos
cuarto.
sonn lass kou**a**tro di**é**ç... i kou**a**rto... i m**é**dia... m**é**noss
kou**a**rto.

Depuis une heure... huit heures du matin... deux jours...
une semaine.
Desde la una... las ocho de la mañana... desde hace dos
días... una semana.
d**é**sdé la **ou**na... lass **o**tcho dé la magn**a**na... d**é**sdé **a**çé doss
di**a**ss... **ou**na s**é**mana.

Combien de temps **dure** la représentation... le trajet ?
¿ Cuánto tiempo dura la función... el trayecto ?
¿ kou**a**nnto ti**é**mpo d**ou**ra la founnçionn... èl tray**é**kto ?

Cette horloge est-elle à l'**heure exacte** ?
¿ Está a la hora este reloj ?
¿ ést**a** a la **o**ra **é**sté rrèlo'rh ?

Il y a cinq... dix minutes... une heure... deux semaines...
un an.
Hace cinco... diez minutos... una hora... dos semanas...
un año.
açé çinnko... di**é**ç min**ou**toss... **ou**na **o**ra... doss s**é**manass...
ounn **a**gno.

Pendant la **matinée**... la **soirée**... la **journée**.
Durante la mañana... la tarde (la noche)... el día.
dourannté la magnana... la tardé (la notché)... él dia.

L'horloge... la **montre**... la pendule... avance... retarde.
Este reloj adelanta... atrasa.
ésté rrélo'rh adélannta... atrassa.

Pendant combien de temps ?
¿ Durante cuánto tiempo ?
¿ dourannté kouannto tiémpo ?

Prenons **rendez-vous** pour... à...
Démonos cita el... a las...
démonoss çita él... a lass...

De **temps en temps**.
De vez en cuando.
dé véç énn kouanndo.

Vocabulaire

Age	la edad	édad
Année	el año	agno
— bissextile	— — bisiesto	— bissiésto
— dernière	— — pasado	— passado
— prochaine	— — próximo	— proksimo
Après	después	déspouéss
Après-demain	pasado mañana	passado magnana
Après-midi	la tarde	tardé
Attendre	esperar	éspérar
Aujourd'hui	hoy	oï
Automne	el otoño	otogno
Autrefois	antes	anntéss
Avancer	adelantar	adélanntar
Avant	antes	anntéss
Avant-hier	antes de ayer	anntéss dé ayér
	(*Mex* : antier)	anntiér
Avenir	el futuro	foutouro
Calendrier	el calendario	kalénndario
Changement d'heure	el cambio de hora	kambio dé ora

Commencement	el principio, comienzo	prinnçipio, komiénnço
Date	una fecha	fétcha
Délai	un plazo	plaço
Demain	mañana	magnana
Demi-heure	media hora	média ora
Depuis	desde	désdé
Dernier	último	oultimo
Écouler (s')	pasar	passar
Époque	una época	époka
Ère	una era	èra
Été	el verano	vérano
Éternité	la eternidad	étérnidad
Fin	el fin	finn
Futur	el futuro	foutouro
Heure	la hora	ora
— d'été	— — de verano	— dé vérano
— d'hiver	— — de invierno	— dé innvièrno
Hier	ayer	ayèr
Hiver	el invierno	innvièrno
Immédiat	inmediato	innmédiato
Instant	un instante	innstannté
JOUR	UN DIA	dia
Lundi	lunes	lounéss
Mardi	martes	martéss
Mercredi	miércoles	mièrkoléss
Jeudi	jueves	rhouévéss
Vendredi	viernes	vièrnéss
Samedi	sábado	sabado
Dimanche	domingo	dominngo
Jour férié	un día festivo	dia féstivo
— ouvrable	— — laboral	— laboral
Lentement	lentamente, despacio	lénntaménnté, déspaçio
Matin	la mañana	magnana
Matinée	la mañana	magnana
Midi	mediodía	médiodia
Milieu	el medio	médio
Minuit	medianoche	médianotché
Minute	un minuto	minouto

MOIS	MES	mèss
Janvier	enero	énéro
Février	febrero	fébréro
Mars	marzo	março
Avril	abril	abril
Mai	mayo	mayo
Juin	junio	rhounio
Juillet	julio	rhoulio
Août	agosto	agosto
Septembre	septiembre	séptiémbré
Octobre	octubre	oktoubré
Novembre	noviembre	noviémbré
Décembre	diciembre	diçiémbré
Moment	un momento	moménnto
	(*AmL* : un rato)	rrato
Nuit	la noche	notché
Passé	pasado	passado
Passer	pasar	passar
— le temps	— el tiempo	— él tiémpo
Présent	presente	préssénnté
Printemps	la primavera	primavéra
Quand	cuando	kouanndo
Quart d'heure	un cuarto de hora	kouarto dé ora
Quinzaine	quince días	kinnçé diass
Quotidien	cotidiano	kotidiano
	(*AmL* : diario)	diario
Retard	un retraso, atraso	rrétrasso, atrasso
Retarder	retrasar, atrasar	rrétrassar, atrassar
Saison	una estación	éstaçionn
Seconde (temps)	un segundo	ségounndo
Semaine	una semana	sémana
— dernière	la — pasada	— passada
— prochaine	la — próxima	— proksima
Semestre	un semestre	séméstré
Siècle	un siglo	siglo
Soir	la tarde, noche	tardé, notché
Soirée	la tarde, noche, velada	tardé, notché, vélada
Tard	tarde	tardé
Tôt	temprano	témprano

Trimestre	un trimestre	trim**e**stré
Veille	la víspera	vispéra
Vite	de prisa	dé prissa
	(*AmL* : rápido)	rrapido
Week-end	el fin de semana	finn dé sémana

Train

tren trènn
GARE
estación éstaçíonn

Les trains espagnols sont moins confortables et moins rapides que nos trains, mais assez ponctuels et propres. Il existe un système de tarifs réduits (jours « bleus », billets jeunes, familles nombreuses, etc.). Il est vivement conseillé de réserver sa place à l'avance.

En Amérique latine, le réseau ferroviaire est beaucoup moins développé et la ponctualité laisse beaucoup à désirer. Cependant, si vous n'êtes pas pressé, ne ratez pas l'occasion de faire un voyage en train, vous découvrirez le pays sous un angle différent, très authentique et toujours imprévu.

En situation

S'il vous plaît, où se trouve la gare ?
Por favor, ¿ dónde está la estación ?
por favor, ¿ donndé ésta la éstaçíonn ?

A quelle heure **arrive** le train venant de... ?
¿ A qué hora llega el tren que viene de... ?
¿ a ké **o**ra y**é**ga él trènn ké vi**é**né dé... ?

Je voudrais enregistrer les **bagages**.
Quisiera facturar (registrar) el equipaje.
kissi**é**ra faktou**ra**r (rré'rhistr**a**r) él ékipa'rhé.

Je voudrais un **billet** aller simple... aller-retour... première classe... seconde classe.
Quisiera un billete de ida... ida y vuelta... en primera clase... en segunda clase.
kissi**é**ra ounn biy**é**té dé **i**da... **i**da i vou**é**lta... énn prim**é**ra kl**a**ssé... énn ség**ou**nnda kl**a**ssé.

Dois-je **changer** de train ?
¿ Tengo que hacer transbordo ?
¿ ténngo ké açér trannsbordo ?

Où se trouve la **consigne** ?
¿ Dónde está la consigna ?
¿ donndé ésta la konnsig-na ?

Y a-t-il des **couchettes** ?
¿ Hay literas ?
¿ aï litérass ?

Combien **coûte** l'aller simple ?
¿ Cuánto vale la ida ?
¿ kouannto valé la ida ?

Puis-je **fumer** ?
¿ Puedo fumar ?
¿ pouédo foumar ?

Cette place est-elle **libre** ?
¿ Está libre este asiento ?
¿ ésta libré ésté assiénnto ?

Quel est le **montant** du supplément ?
¿ Cuánto vale el suplemento ?
¿ kouannto valé él souplémennto ?

A quelle heure **part** le train pour... ?
¿ A qué hora sale el tren para... ?
¿ a ké ora salé él trénn para... ?

Excusez-moi, cette **place** est réservée.
Perdone, este asiento está reservado.
pérdoné, ésté assiénnto ésta rrésservado.

Veuillez m'indiquer le **quai**... la voie.
¿ Puede usted indicarme el andén... la vía ?
¿ pouédé oustéd inndikarmé él anndénn... la via ?

Y a-t-il une **réduction** pour les enfants ?
¿ Hay alguna rebaja para los niños ?
¿ aï algouna rréba'rha para loss nignoss ?

Je désire **réserver** une place côté couloir... côté fenêtre.
Deseo reservar un asiento junto al pasillo... a la ventanilla.
desséo rrésservar ounn assiénnto rhounnto al passiyo... a la
    vénntaniya.

Le train a du **retard**.
El tren tiene retraso.
èl trènn tièné rrétrasso.

Pouvez-vous me **réveiller**... me prévenir ?
¿ Puede usted despertarme... avisarme ?
¿ pouédé oustéd déspértarmé... avissarmé ?

Où sont les **toilettes** ?
¿ Dónde están los servicios ?
¿ donndé éstann loss sérviçioss ?

Pouvez-vous m'aider à monter ma **valise** ?
¿ Puede usted ayudarme a subir la maleta ?
¿ pouédé oustéd ayoudarmé a soubir la maléta ?

Y a-t-il un **wagon-restaurant**... un **wagon-lit** ?
¿ Hay un coche restaurante... un coche cama ?
¿ aï ounn kotché rréstaouranntè... ounn kotché kama ?

Vocabulaire

Aller	ir	ir
ARRIVÉE	LLEGADA	yégada
Assurances	los seguros	ségouross
Bagages	el equipaje	ékipa'rhé
Banlieue	la periferie, las afueras	périfèrié, afouérass
Billet	un billete	biyété
	(*AmL :* un boleto)	boléto
— aller simple	— — de ida	— dé ida
— aller et retour	— — ida y vuelta	— ida i vouélta
— première classe	— — en primera clase	— énn primèra klassé
— seconde classe	— — en segunda clase	— énn ségounnda klassé
BUFFET	BUFFET, RESTAURANTE	boufé, rréstaouranntè
Changement	un transbordo	trannsbordo
Chariot à bagages	un carrito de equipaje	karrito dé ékipa'rhé
CHEF DE GARE	JEFE DE ESTACION	rhéfé dé éstaçionn
Coin couloir	junto al pasillo	rhounnto al passiyo
— fenêtre	— a la ventanilla	— a la vènntaniya
Compartiment	un departamento	départaménnto

CONSIGNE AUTOMATIQUE	CONSIGNA AUTOMATICA	konnsig-na aoutomatika
CONTRÔLEUR	REVISOR	rrévissor
	(*AmL* : INSPECTOR)	innspéktor
Correspondance	un transbordo	trannsbordo
Couchette	una litera	litéra
Couloir	el pasillo	passiyo
DÉPART	SALIDA	salida
Escalier	la escalera	éskaléra
ESCALIER MÉCANIQUE	ESCALERA MECANICA	éskaléra mékanika
EXPÉDITION	DESPACHO	déspatcho
FUMEURS	FUMADORES	foumadoréss
NON FUMEURS	NO FUMADORES	no foumadoréss
Gare	la estación	éstaçionn
GUICHET	VENTANILLA	vénntaniya
Indicateur	el indicador	inndikador
Kiosque	un quiosco	kiosko
PASSAGE SOUTERRAIN	PASAJE SUBTERRANEO	passa'rhé soubtérranéo
Place assise	un asiento	assiénnto
Portes	las puertas	pouértass
PORTEUR	MOZO DE ESTACION	moço dé éstaçionn
	(*AmL* : MALETERO)	malétéro
QUAI	ANDEN	anndénn
RÉSERVATIONS	RESERVAS	rrésservass
Retard	un retraso	rrétrasso
Sac	un bolso	bolso
SALLE D'ATTENTE	SALA DE ESPERA	sala dé éspéra
SORTIE	SALIDA	salida
Supplément	un suplemento	souplémennto
Valise	una maleta	maléta
VOIE	VIA	via
WAGON-LIT	COCHE CAMA	kotché kama
— RESTAURANT	COCHE RESTAURANTE	kotché rréstaourannté
	(*AmL* : COCHE COMEDOR)	kotché komédor

Visites touristiques

visitas turísticas   vissitass touristikass
MUSÉES / SITES
museos / mousséoss   sitios / sitioss

La plupart des grands hôtels et toutes les agences de tourisme sont à même de vous proposer des visites guidées individuelles ou en groupe. Vous pouvez aussi louer un taxi pour la journée, ou la demi-journée, mais nous vous conseillons, dans ce cas, de bien établir le prix et le parcours à l'avance.

En situation

Où se trouve l'Office du tourisme ?
¿ Dónde se encuentra la Oficina de turismo ?
¿ donndé sé énnkouénntra la oficina dé tourismo ?

Le **circuit** des châteaux prévoit-il les sites naturels ?
¿ El circuito de los castillos comprende la visita de los sitios naturales ?
¿ él çirkouíto dé loss kastiyoss komprénndé la vissita dé loss sitioss natouraléss ?

Combien coûte la visite ?
¿ Cuánto cuesta la visita ?
¿ kouannto kouésta la vissita ?

De quelle **époque** date-t-elle(il) ?
¿ De qué época es ?
¿ dé kè époka éss ?

Est-ce que le **guide** parle français ?
¿ Habla francés el guía ?
¿ abla frannçéss él guia ?

Quelles sont les **heures d'ouverture** ?
¿ A qué horas está abierto ?
¿ a ké orass ésta abiérto ?

Quels sont les **lieux visités** au cours du circuit ?
¿ Qué lugares se visitan durante el circuito ?
¿ ké lougaréss sé vissitann douránnté él çirkouíto ?

Peut-on prendre des **photos** ?
¿ Se pueden sacar fotos ?
¿ sé pouédénn sakar fotoss ?

Avez-vous un **plan** de la ville... des environs ?
¿ Tiene usted un plano de la ciudad... de los
   alrededores ?
¿ tiéné oustéd ounn plano dé la çioudad... dé loss
   alrrédédoréss ?

Quelle (quel) est cette église... ce monument... ce
tableau ?
¿ Qué iglesia es ésta... monumento (éste)... cuadro
   (éste) ?
¿ ké igléssia éss ésta... monouménnto (ésté)... kouadro (ésté) ?

Qui en est l'architecte... le peintre... le sculpteur ?
¿ Quién es el arquitecto... el pintor... el escultor ?
¿ kiénn éss él arkitékto... él pinntor... él éskoultor ?

Nous **restons** ici une journée... jours... semaines.
Vamos a quedarnos un día... días... semanas.
vamoss a kédarnoss ounn dia... diass... sémanass.

Combien de **temps** dure la visite ?
¿ Cuánto tiempo dura la visita ?
¿ kouannto tiémpo doura la vissita ?

Où se **trouve** le musée... la cathédrale... le monastère...
l'exposition ?
¿ Dónde se encuentra el museo... la catedral... el
   monasterio... la exposición ?
¿ donndé sé énnkouénntra él mousséo... la katédral... el
   monastério... la ékspossiçionn ?

Quelle **visite** nous conseillez-vous ?
¿ Qué visita nos recomienda usted ?
¿ ké vissita noss rrékomiénnda oustéd ?

Y a-t-il une **visite organisée** ?
¿ Hay algún recorrido organizado ?
¿ aï algouhn rrékorrido organiçado ?

Je **voudrais visiter** la vieille ville... le port.
Quisiera visitar la ciudad vieja... el puerto.
kissièra vissitar la çioudad viè'rha... èl pouèrto.

Vocabulaire

Abbaye	una abadía	abadia
Abside	un ábside	absidé
Ancien	antiguo	anntigouo
Aquarium	un acuario	akouario
Autobus	un autobús	aoutobouss
	(*Mex* : un camión)	kamionn
	(*Chi* : una micro)	mikro
	(*Arg* : un colectivo)	kolèktivo
Avenue	una avenida	avénida
Banlieue	la periferie, las afueras	périférié, afouèrass
	(*AmL* : los suburbios)	soubourbioss
Baroque	barroco	barroko
Bâtiment	un edificio	èdifiçio
Bibliothèque	una biblioteca	bibliotèka
Billet	una entrada	énntrada
	(*AmL* : un boleto)	bolèto
Cascade	una cascada	kaskada
Cathédrale	la catedral	katédral
Centre ville	el centro	çènntro
Cimetière	el cementerio	çéménntèrio
Circuit	un circuito	çirkouito
Colonne	una columna	koloumna
Croix	una cruz	krouç
Crypte	la cripta	kripta
Curiosités	las curiosidades	kouriossidadèss
Dôme	la cúpula	koupoula
Douves	los fosos	fossoss
Église	una iglesia	iglèssia
ENTRÉE	ENTRADA	énntrada

ENTRÉE LIBRE	ENTRADA LIBRE	ènntrada librè
Environs	los alrededores	alrrèdédorèss
Escalier	la escalera	èskaléra
Exposition	una exposición	èkspossiçionn
Façade	la fachada	fatchada
Fontaine	una fuente	fouènnté
Forêt	el bosque	boské
Fort	un fuerte	fouérté
Gothique	gótico	gotiko
Gratte-ciel	un rascacielos	rraskaçiéloss
Guide	un guía	guia
Hôtel de ville	el Ayuntamiento	ayounntamiénnto
	(*AmL* : la Municipalidad)	mouniçipalidad
Jardin	un jardín	rhardinn
— botanique	— — botánico	— botaniko
— zoologique	— — zoológico	— çoolo'rhiko
Lac	un lago	lago
Marché	un mercado	mérkado
Monastère	un monasterio	monastério
Monument	un monumento	monouménnto
Moyen Age (le)	la Edad Media	édad média
Musée	un museo	moussêo
Nef	la nave	navé
Observatoire	un observatorio	obsérvatorio
Palais	un palacio	palaçio
Parc	un parque	parké
Peintre	un pintor	pinntor
Peinture	una pintura, un cuadro	pinntoura, kouadro
Photographie	una fotografía	fotografia
Pilier	un pilar	pilar
Place	una plaza	plaça
Pont	un puente	pouènnté
Port	un puerto	pouérto
Remparts	las murallas	mourayass
Renaissance (la)	el Renacimiento	rrènaçimiénnto
Roman	románico	romaniko
Rosace	una rosácea	rrossaçéa
Rue	una calle	kayé
Ruelle	una callejuela	kayé'rhouéla

Ruines	unas ruinas	rrouinass
Salle	una sala	sala
Sculpteur	un escultor	éskoultor
Sculpture	una escultura	éskoultoura
Siècle	un siglo	siglo
Station de taxis	una parada de taxis	parada dé taksiss
Style	el estilo	éstilo
Tableau	un cuadro	kouadro
Théâtre	un teatro	téatro
Tour	una vuelta	vouélta
Tour de ville	la vuelta de la ciudad	vouélta dé la çioudad
Vieille ville	la ciudad vieja	çioudad viè'rha
Visite	una visita	vissita
— guidée	un recorrido con guía	rrékorrido konn guia
Voiture	un coche	kotché
	(*Mex* : un carro)	karro
	(*AmL* : un auto)	aouto

Voiture

coche   k**o**tché

ACCIDENT

accidente   akçid**é**nnté

Tant en Espagne qu'en Amérique latine, en cas d'accident sur une autoroute ou une route nationale, les secours routiers sont bien organisés, rapides et efficaces.

Sur les routes secondaires, les secours sont plus difficiles à contacter (absence de bornes téléphoniques, régions isolées), mais il existe, en revanche, une grande solidarité entre les conducteurs et les voitures s'arrêtent sans hésiter.

En situation

Il m'est arrivé un **accident**.
He tenido un accidente.
é ténido ounn akçid**é**nnté.

Il y a eu un **accident sur la route** de... au croisement
    de... entre... à environ... kilomètres de...
Ha habido un accidente en la carretera de... en el cruce
    de... entre... aproximadamente a... kilómetros de...
a abido ounn akçid**é**nnté énn la karrét**é**ra dé... énn él kr**ou**cé
    dé... énntré... aproksimadam**é**nnté a... kil**o**métross dé...

Pouvez-vous m'**aider** ?
¿ Puede usted ayudarme ?
¿ pou**é**dé oust**é**d ayoudarmé ?

Appelez vite une **ambulance**... un **médecin**... la **police**.
Llame rápido una ambulancia... a un médico... a la
    policía.
yamé rrapido **ou**na amboul**a**nnçia... a ounn m**é**diko... a la poliçia.

Il y a des **blessés**.
Hay heridos.
aï éridoss.

Je suis **blessé**.
Estoy herido.
éstoï érido.

> Ne **bougez** pas.
> No se mueva.
> no sé mouéva.

> **Coupez le contact**.
> Pare el motor.
> paré él motor.

Il faut **dégager** la voiture.
Hay que sacar el coche.
aï ké sakar él kotché.

> Donnez-moi les **documents de la voiture** (la carte
>   grise)... l'attestation d'assurance.
> Déme los documentos del coche... la póliza de
>   seguros.
> démé loss dokouménntoss dél kotché... la poliça dé
>   ségouross.

Voici mon **nom** et mon adresse.
Aquí tiene mi nombre y mi dirección.
aki tiéné mi nombré i mi dirékçionn.

> Donnez-moi vos **papiers**... votre permis de conduire.
> Déme sus documentos... su permiso de conducir.
> démé souss dokouménntoss... sou pérmisso dé konndouçir.

Puis-je **téléphoner** ?
¿ Puedo llamar por teléfono ?
¿ pouédo yamar por téléfono ?

Acceptez-vous de **témoigner** ?
¿ Acepta usted ser testigo ?
¿ açépta oustéd sér téstigo ?

Avez-vous une **trousse de secours** ?
¿ Tiene usted un botiquín ?
¿ tiéné oustéd ounn botikinn ?

Vocabulaire

Artère	una arteria	artéria
Articulation	una articulación	artikoulaçionn
Blessure	una herida	érida
Bras	el brazo	braço
Brûlé	quemado	kémado
Brûlure	una quemadura	kémadoura
Choc	un choque	tchoké
Colonne vertébrale	la columna vertebral	koloumna vértébral
Côte	una costilla	kostiya
Épaule	el hombro	ombro
Garrot	un torniquete	tornikété
Genou	la rodilla	rrodiya
Hémorragie	una hemorragia	émorra'rhia
Jambe	la pierna	piérna
Ligaturer	hacer una ligadura	açér ouna ligadoura
Main	la mano	mano
Nuque	la nuca	nouka
Œil	el ojo	o'rho
Pied	el pie	pié
Poitrine	el pecho	pétcho
Tête	la cabeza	kabéça
Veine	una vena	véna
Visage	el rostro, la cara	rrostro, kara

Garage

garaje   gara'rhé

Dans les grandes villes ou sur les grands axes routiers, il existe de nombreux garages équipés de tout le matériel moderne. Mais dès que vous quitterez les sentiers battus, notamment en Amérique latine, vous vous retrouverez loin de la technique moderne et vous devrez vous arranger avec les moyens du bord. Néanmoins, vous trouverez souvent un mécanicien qui saura vous dépanner ne serait-ce que pour vous permettre de gagner la ville importante la plus proche.

Si vous louez une voiture, exigez une vérification sérieuse de son état mécanique, surtout en Amérique centrale et au Mexique. Vous éviterez ainsi pannes et risques d'accidents.

En situation

Pouvez-vous recharger la **batterie** ?
¿ Puede usted cargar la batería ?
¿ pouédé oustéd kargar la batéria ?

Le moteur **cale**.
El motor se para (se cala).
èl motor sé para (sé kala).

Pouvez-vous changer la **chambre à air** ?
¿ Puede usted cambiar la cámara de aire ?
¿ pouédé oustéd kambiar la kamara dè aïré ?

Il est nécessaire de **changer**...
Es preciso cambiar...
èss préçisso kambiar...

Combien **coûte** la réparation ?
¿ Cuánto vale el arreglo ?
¿ kouannto valé èl arréglo ?

La voiture ne **démarre pas**.
El coche no arranca.
èl kotché no arrannka.

L'**embrayage** patine.
El embrague patina.
èl émbragué patina.

Le radiateur **fuit**.
El radiador gotea.
èl rradiador gotéa.

Il y a une **fuite** d'huile.
Está goteando el aceite.
ésta gotéanndo él açéité.

Puis-je **laisser ma voiture** maintenant ?
¿ Puedo dejar el coche ahora ?
¿ pouédo dé'rhar él kotché aora ?

Le **moteur** chauffe trop.
El motor calienta demasiado.
él motor kaliénnta démassiado.

Avez-vous la **pièce de rechange** ?
¿ Tiene usted el repuesto ?
¿ tiéné oustéd él rrépouésto ?

Pouvez-vous réparer le **pneu** ?
¿ Puede usted arreglar el neumático ?
¿ pouédé oustéd arréglar él néoumatiko ?

Quand sera-t-elle **prête** ?
¿ Cuándo estará listo ?
¿ kouanndo éstara listo ?

Pouvez-vous **vérifier** l'allumage... la direction... les pneus...
l'huile... le circuit électrique ?
¿ Puede usted controlar el encendido... la dirección... los
neumáticos... el aceite... el sistema eléctrico ?
¿ pouédé oustéd konntrolar él ennçenndido... la dirékçionn... loss
néoumatikoss... él açéité... él sistéma éléktriko ?

Veuillez faire une **vidange** et un graissage.
Haga un cambio de aceite y un engrase.
aga ounn kambio dé açéité i ounn énngrassé.

Les **vitesses** passent mal.
Los cambios están duros.
loss kambioss éstann douross.

Panne

avería   avéria

En situation

Ma voiture est en panne.
Mi coche tiene una avería.
mi kotché tiéné ouna avéria.

Pouvez-vous m'**aider** à pousser... à changer la roue ?
¿ Puede usted ayudarme a empujar... a cambiar la
rueda ?
¿ pouédé oustéd ayoudarmé a émpou'rhar... a kambiar la
rrouéda ?

Combien de temps faut-il **attendre** ?
¿ Cuánto tiempo hay que esperar ?
¿ kouannto tiémpo aï ké éspérar ?

Pouvez-vous me **conduire** à...
¿ Puede usted llevarme a... ?
¿ pouédé oustéd yévarmé a... ?

Peut-on faire venir une **dépanneuse** ?
¿ Se puede llamar el coche de auxilio carretero ?
¿ sé pouédé yamar él kotché dé aouksilio karrétéro ?

Où est le **garage** le plus proche ?
¿ Dónde está el garaje más cercano ?
¿ donndé ésta él gara'rhé mass çérkano ?

Pouvez-vous me **remorquer** ?
¿ Puede usted remolcarme ?
¿ pouédé oustéd rrémolkarmé ?

Y a-t-il un **service de dépannage** ?
¿ Hay algún servicio de reparación ?
¿ aï algounn sèrviçio dé rréparaçionn ?

La **station-service** est-elle loin ?
¿ Está lejos la gasolinera ?
¿ ésta lé'rhoss la gassolinéra ?

D'où peut-on **téléphoner** ?
¿ De dónde se puede llamar por teléfono ?
¿ dé donndé sé pouédé yamar por téléfono ?

Me permettez-vous d'**utiliser votre téléphone** ?
¿ Me permite usted usar su teléfono ?
¿ mé pérmité oustéd oussar sou téléfono ?

Station-service
gasolinera   gassolinéra

Les stations-service sont souvent très éloignées les unes des autres surtout en Amérique latine. Prenez donc vos précautions et n'hésitez pas, dans certaines régions, à transporter un jerricane d'essence de secours.

En situation

Donnez-moi 10... 20 litres d'essence... d'ordinaire... de super... de gasoil.
Deme diez... veinte litros de gasolina... corriente... super... de gasóleo.
démé diéç... véinnté litross dé gassolina... korriénnté... soupér... dé gassoléo.

Faites le plein, s'il vous plaît.
Lleno, por favor.
yéno, por favor.

Il faudrait mettre de l'eau distillée dans la **batterie**.
Habría que poner agua destilada en la batería.
abria ké ponér agoua déstilada énn la batéria.

Faut-il changer la **chambre à air** ?
¿ Hay que cambiar la cámara de aire ?
¿ aï ké kambiar la kamara dé aïré ?

Pouvez-vous **changer** le pneu ?
¿ Puede usted cambiar el neumático ?
¿ pouédé oustéd kambiar él néoumatiko ?

Combien cela va-t-il **coûter** ?
¿ Cuánto va a costar ésto ?
¿ kouannto va a kostar ésto ?

Combien coûte le **lavage** ?
¿ Cuánto vale el lavado ?
¿ kouannto valé él lavado ?

Pouvez-vous **nettoyer** le pare-brise ?
¿ Puede usted limpiar el parabrisas ?
¿ pouédé oustéd limpiar él parabrissass ?

Pouvez-vous **régler** les phares ?
¿ Puede usted ajustar las luces ?
¿ pouédé oustéd a'rhoustar lass louçéss ?

Pouvez-vous **vérifier** l'eau... l'huile... la pression des
   pneus ?
¿ Puede usted controlar el agua... el aceite... la presión
   de los neumáticos ?
¿ pouédé oustéd konntrolar él agoua... él açéité... la préssionn
   dé loss néoumatikoss ?

Vocabulaire

Abîmé	averiado, estropeado	avériado, éstropéado
Accélérateur	el acelerador	açélérador
Accélérer	acelerar	açélérar
Aider	ayudar	ayoudar
Aile	una aleta	aléta
Allumage	el encendido	énnçénndido
Allumer	encender	énnçénndér
Alternateur	el alternador	altérnador
Amortisseur	el amortiguador	amortigouador
Ampoule	una bombilla, un foco	bombiya, foko
Antenne	la antena	annténa
Antigel	el antigel	annti'rhél
Antivol	el antirrobo	anntirrobo
Arbre à cames	el árbol de levas	arbol dé lévass
Arrière	trasero	trasséro
Avant	delantero	délanntéro
Avertisseur	la bocina	boçina

Axe	el eje	**é**'rhé
Balai essuie-glace	escobilla del limpiacristales	éskobiya dèl limpiakristalèss
	(*AmL* : — — limpiaparabrisas)	— — limpiaparabr**i**ssass
Banquette	el asiento	assi**è**nnto
Bas	de abajo	aba'rho
Batterie	la batería	batéria
Bielle	la biela	bi**é**la
Bloc de commande	el bloque de mando	blok**é** dè m**a**nndo
Bloc-cylindre	el bloque motor	blok**é** mot**o**r
Bloqué	bloqueado	blok**é**ado
Bobine d'allumage	la bobina de encendido	bobina dè énnç**é**nndido
Boîte de direction	la caja de dirección	ka'rha dè dirèkçi**o**nn
— de vitesses	— — de cambios	— dè k**a**mbioss
Bouchon	un tapón	tap**o**nn
Bougie	una bujia	bou'rh**i**a
Boulon	un perno	p**è**rno
Bruit	un ruido	rroui**d**o
Câble	un cable	k**a**blé
— (frein à main)	el — del freno de mano	— dèl fr**è**no dè m**a**no
Calandre	la calandra	kala**n**ndra
Capot	el capó	kap**o**
Carburateur	el carburador	karbourad**o**r
Carrosserie	la carrocería	karroç**é**ria
Carter	el cárter	k**a**rtér
Cassé	roto, quebrado	rr**o**to, k**é**br**a**do
Cataphote	el catafote	katafo**t**é
Ceinture de sécurité	el cinturón de seguridad	çinntour**o**nn dè ségourid**a**d
Chaînes	las cadenas	kad**é**nass
Chambre à air	la cámara de aire	k**a**mara dè **a**ïré
Changer	cambiar	k**a**mbiar
Châssis	el chasis	tch**a**ssiss
Chauffage	la calefacción	kal**é**fakçi**o**nn
Circuit électrique	el sistema eléctrico	sist**è**ma él**è**ktriko
Clef	la llave	yav**é**
— anglaise	— — inglesa	— inngl**é**ssa
— de contact	— — de contacto	— dè konnt**a**kto

Clignotant	el intermitente	inntèrmitènnté
Codes	las luces bajas	louçéss ba'rhass
Coffre	el portaequipajes	portaékipa'rhéss
Cogner	golpear	golpéar
Coincé	atascado	ataskado
Commande	un mando	manndo
Commutateur	el conmutador	konnmoutador
Compte-tours	el cuentarrevoluciones	kouènntarrévolouçionéss
Compteur de vitesse	el velocímetro	véloçimétro
Condensateur	el condensador	konndènnsador
Contact	el contacto	konntakto
Couler une bielle	fundir una biela	founndir ouna biéla
Courroie de ventilateur	la correa del ventilador	korréa dèl vènntilador
Court	corto	korto
Court-circuit	un cortocircuito	kortoçirkouito
Coussinet	el cojinete	ko'rhinété
Crevaison	un neumático reventado	néoumatiko rrévènntado
Crevé	reventado	rrévènntado
Cric	el gato	gato
Culasse	la culata	koulata
Culbuteur	el balancín	balançinn
Cylindre	un cilindro	çilinndro
Débranché	desenchufado	dèssènntchoufado
Débrayer	desembragar	dèssèmbragar
Défectueux	defectuoso	déféktouosso
Déflecteur	el deflector	déflèktor
Déformé	deformado	déformado
Dégivrer	desescarchar	dèssèskartchar
Démarrer	arrancar	arrannkar
Démarreur	el arranque	arrannké
Desserré	suelto	souélto
Détendre	aflojar	aflo'rhar
Dévisser	destornillar	déstorniyar
Différentiel	el diferencial	difèrènnçial
Direction	la dirección	dirèkçionn
Dynamo	el dinamo	dinamo

Eau	el agua	**a**goua
— distillée	— — destilada	— d**é**stil**a**da
Éblouir	deslumbrar	désloumbr**a**r
Éclairage	las luces	lou**ç**éss
Écrou	una tuerca	tou**é**rka
Embrayage	el embrague	**é**mbra**gué**
Embrayer	embragar	**é**mbrag**a**r
Enjoliveur	un tapacubos	tapak**ou**boss
Essence	la gasolina	gassol**i**na
	(*AmL* : bencina, nafta)	b**é**nn**ç**ina, n**a**fta
Essieu	el eje	**é**'rhé
Essuie-glace	el limpiacristales	limpiakristal**é**ss
	(*AmL* : el limpiaparabrisas)	limpiaparabr**i**ssass
Faible	débil	d**é**bil
Fêlé	trizado	tri**ç**ado
Fermé	cerrado	**ç**érr**a**do
Feux arrière	luces traseras	lou**ç**éss trass**é**rass
— de position	— piloto	— pil**o**to
— de détresse	el intermitente de	inntèrmit**é**nnté dé
	emergencia	émér'rh**é**nn**ç**ia
— de stop	— de parada, de freno	— dé par**a**da, dé fr**é**no
Fil	un alambre	al**a**mbré
Filtre	un filtro	f**i**ltro
— à air	— — de aire	— dé a**ï**ré
— à essence	— — de gasolina	— dé gassol**i**na
— à huile	— — de aceite	— a**ç**é**i**té
Fort	fuerte	fou**é**rté
Frein	el freno	fr**é**no
— à disque	— — de disco	— dé d**i**sko
— à main	— — de mano	— dé m**a**no
Garniture de frein	el forro de freno	**f**orro dé fr**é**no
Gicleur	el chicler	tchikl**é**r
Glace	el vidrio	v**i**drio
Graissage	el engrase	**é**nngrass**é**
Haut	alto	**a**lto
Jante	la yanta	y**a**nnta
Jauge (niveau)	la varilla indicadora	var**i**ya inndikad**o**ra
Joint de culasse	una junta de culata	rh**ou**nnta dé koul**a**ta
— d'étanchéité	el retén	rrét**é**nn

Lavage	el lavado	lava**d**o
Lave-glace	un lavavidrios	lavavi**d**rio**ss**
Lent	lento	l**è**nnto
Liquide de freins	el líquido de frenos	li**k**ido d**è** fr**è**no**ss**
Lubrifiant	un lubrificante	loubrifi**k**annt**è**
Mécanicien	un mecánico	m**è**k**a**niko
Moteur	un motor	mot**or**

MOTO	UNA MOTO	m**o**to
Béquille	el soporte	sop**or**t**è**
Cardan	el cardán	kard**ann**
Chaîne	la cadena	kad**è**na
Fourche avant	la horquilla delantera	orki**y**a d**è**lannt**è**ra
— arrière	— — trasera	— trass**è**ra
Garde-boue	el guardabarros	gouardaba**rr**o**ss**
	(*AmL* : tapabarros)	tapaba**rr**o**ss**
Guidon	la guía	g**u**ia
	(*AmL* : el manubrio)	man**ou**brio
Poignée	el puño	p**ou**gno
— des gaz	— — de gases	— d**è** g**a**ss**è**ss
Rayon	un rayo	**rr**ayo
Repose-pieds	el descansapies	d**è**skannsapi**è**ss
Selle	el sillin	si**y**i**nn**
	(*AmL* : el asiento)	assi**è**nnto

Nettoyer	limpiar	limpi**ar**
Ouvert	abierto	abi**è**rto
Pare-brise	el parabrisas	parabri**ss**a**ss**
Pare-chocs	el parachoques	paratch**o**k**è**ss
Pédale	un pedal	p**è**d**al**
Phares	los faros	far**o**ss
— anti-brouillard	— — anti niebla	— **a**nnti ni**è**bla
— de recul	las luces de marcha atrás	lou**ç**è**ss d**è** m**a**rtcha atrass
Pièce de rechange	un recambio, repuesto	**rr**è**kambio, **rr**è**pou**è**sto
Pignon	el piñón	pign**onn**
Pinces	un alicate	alik**a**t**è**
Piston	un pistón	pist**onn**
Plancher	el piso	p**i**sso

Plaque d'immatriculation	la matrícula	matrikoula
Pneu	un neumático	néoumatiko
Pneu-neige	— — para nieve	— para niévé
Pompe	la bomba	bomba
— à eau	— — de agua	— dé agoua
— à essence	— — de gasolina	— dé gassolina
— à huile	— — de aceite	— dé acéité
— d'injection	— — de inyección	— dé innyékçionn
Pont arrière	el puente trasero	pouènnté trasséro
Porte-bagages	el portaequipajes	portaékipa'rhèss
Pot d'échappement	el silenciador	silènnçiador
Pousser	empujar	èmpou'rhar
Pression des pneus	la presión de los neumáticos	préssionn dé loss néoumatikoss
Projecteur	un proyector	proyéktor
Radiateur	el radiador	rradiador
Ralenti	el ralentí	rralénnti
Rapide	rápido	rrapido
Recharger	recargar, cargar	rrékargar, kargar
Refroidissement	la refrigeración	rréfri'rhéraçionn
Regarnir	reguarnecer	rrégouarnéçèr
Réglage du parallélisme	ajuste del paralelismo	a'rhousté dèl paralélismo
Régler	regular, ajustar	rrégoular, a'rhoustar
Remorque	un remolque	rrémolké
Remplacer	reemplazar	rréémplaçar
Réparation	un arreglo	arréglo
Réservoir d'essence	el tanque	tannké
Rétroviseur extérieur	el retrovisor exterior	rrétrovissor èkstérior
— intérieur	— — interior	— inntérior
Roue	la rueda	rrouéda
— de secours	— — de repuesto	— dé rrépouèsto
Rouillé	enmohecido	énnmoéçido
Sale	sucio	souçio
Sec	seco	séko
Segments	los segmentos	ségmènntoss

Serrer	apretar	aprétar
Serrure	una cerradura	çérradoura
Siège	un asiento	assiénnto
Soupape	una sopapa	sopapa
Suspension	la suspensión	souspénnsionn
Système électrique	el sistema eléctrico	sistéma éléktriko
Tableau de bord	el tablero de mandos	tabléro dé manndoss
Tambour de frein	el tambor de frenos	tambor dé frénoss
Thermostat	el termostato	térmostato
Tige	el vástago	vastago
Tirer	tirar, jalar	tirar, rhalar
Toit ouvrant	un techo corredizo	tétcho korrédiço
Tournevis	un destornillador	déstorniyador
Transmission	la transmisión	trannsmissionn
— automatique	— — automática	— aoutomatika
Triangle de signalisation	el triángulo de señalización	trianngoulo dé ségnaliçaçionn
Usé	gastado	gastado
Ventilateur	el ventilador	vénntilador
Vibrer	vibrar	vibrar
Vidange	un cambio de aceite	kambio dé açéité
Vilebrequin	el cigüeñal	çigouégnal
Vis	un tornillo	torniyo
Vite	rápidamente	rrapidaménnté
Vitesse	la velocidad	véloçidad
Voie	una vía	via
Volant	el volante	volannté

LEXIQUE

A

A en.
Abaisser rebajar.
Abandonner abandonar.
Abbaye abadía.
Abcès flemón,
  (AmL : absceso).
Abeille abeja.
Abîmer estropear,
  (AmL : echar a perder).
Abonner (s') abonarse.
Abord (d') en primer lugar.
Abri protección, refugio.
Abriter (s') abrigarse,
  protegerse, refugiarse.
Absent ausente.
Absolument absolutamente.
Abstenir (s') abstenerse.
Absurde absurdo.
Abus abuso.
Abuser abusar.
Accélérer acelerar.
Accent acento.

Accepter aceptar.
Accessoire accesorio.
Accident accidente.
Accompagner acompañar.
Accord acuerdo.
  (**D'accord :** de acuerdo).
Accrocher enganchar, colgar.
Accueil acogida, recepción.
Achat compra.
Acheter comprar.
Acompte anticipo.
Acquérir adquirir.
Action acción.
Activité actividad.
Actuellement actualmente.
Addition cuenta, *(math.)* suma.
Adieu adiós.
Admettre admitir.
Administrateur administrador.
Admirer admirar.
Adresse dirección.
Adresser dirigir.
Adroit hábil.
Adulte adulto.

N.d.T : Les adjectifs n'apparaissent qu'au masculin. En règle générale, pour trouver la forme du féminin, il suffit de remplacer le « o » final par un « a » (*ex. :* contento - contenta) ou d'ajouter un « a » aux adjectifs de nationalité qui se terminent par une consonne (*ex. :* español - española).

Beaucoup de noms qui apparaissent au masculin suivent la même règle (*ex. :* inspector - inspectora). Les noms et adjectifs ayant une autre terminaison restent invariables (*ex. :* azul, increíble, real).

Quand un mot qui peut être verbe et nom en même temps (*ex. :* pouvoir) est traduit par un seul mot, cela veut dire que la traduction a la même valeur que le mot français (*ex. :* poder = pouvoir [verbe et nom]).

Adversaire adversario.
Aération aeración.
Aéroport aeropuerto.
Affaiblir debilitar.
Affaire negocio.
Affranchir *(lettres)* franquear.
Affreux horrible.
Afrique Africa.
Age edad.
Agence agencia.
Agent agente.
Aggravation empeoramiento.
Agir actuar.
Agrandir ampliar.
Agréable agradable.
Agrément agrado, recreo.
Aide ayuda.
Aigre amargo.
Aiguille aguja.
Ailleurs en otra parte.
Aimable amable.
Aimer *(quelqu'un)* querer.
— *(quelque chose)* gustarle.
  ex. : **j'aime voyager** me
  gusta viajar.
Aîné mayor.
Ainsi así.
Air aire.
Ajournement postergación.
Ajouter añadir, agregar.
Alcool alcohol.
Alentour alrededor.
Algérie Argelia.
Aliment alimento.
Aliter (s') guardar cama.
Allemagne Alemania.
Allemand alemán.
Aller ir.
Aller et retour ida y vuelta.
Allonger prolongar.
Allumer encender.
Alors entonces.
Alpes (les) los Alpes.

Altitude altura.
Amabilité amabilidad.
Ambassade embajada.
Ambulance ambulancia.
Améliorer mejorar.
Amener traer.
Amer amargo.
Américain americano.
Amérique América.
Ami amigo.
Amnésie amnesia.
Amour amor.
Ampoule bombilla,
  (*AmL* : ampolleta).
Amusant divertido.
Amuser (s') divertirse.
Ancêtre antepasado.
Ancien antiguo.
Anglais inglés.
Angleterre Inglaterra.
Angoisse angustia.
Animal animal.
Année año.
Anniversaire cumpleaños.
Annonce anuncio, aviso.
Annuler anular.
Antalgique antálgico.
Antérieur anterior.
Antidote antídoto.
Antiquaire anticuario.
Août agosto.
Apercevable perceptible.
Apercevoir percibir, distinguir.
Apparaître aparecer.
Appareil aparato.
Appel llamado.
Appeler llamar.
Appendicite apendicitis.
Appétit apetito.
  (**Bon appétit !** i buen
  provecho !).
Appui apoyo.
Appuyer (s') apoyarse.

Après después.
A propos a propósito.
Araignée araña.
Arbre árbol.
Argent dinero.
Argument argumento.
Aride árido.
Arme arma.
Arrêt parada,
  (*AmL* : paradero).
Arrêter (s') parar, detenerse.
Arrière la parte de atrás.
Arrière (à l') atrás.
Arriver llegar.
Art arte.
Ascenseur ascensor.
Asseoir (s') sentarse.
Assez bastante.
Assiette plato.
Assis sentado.
Assurance seguro.
Atelier taller.
Atroce atroz.
Attaque ataque.
Atteindre alcanzar.
Attendre esperar.
Attente espera.
Atterrir aterrizar.
Attestation certificado.
Attitude actitud.
Auberge albergue.
Aucun ninguno.
Au-dedans adentro.
Au-dehors afuera.
Au-delà más allá.
Au-dessous debajo.
Au-dessus encima.
Au-devant adelante.
Augmentation aumento.
Aujourd'hui hoy.
Auparavant antes.
Auprès de cerca de, junto a.
Aussi también.

Aussitôt en seguida.
Autant que tanto como.
Authentique auténtico.
Auto auto.
Autobus autobús.
Automne otoño.
Autoriser autorizar.
Autorité autoridad.
Autour alrededor.
Autre otro.
Autriche Austria.
Autrichien austríaco.
Avaler tragar.
Avance adelanto.
Avant antes.
Avantageux ventajoso.
Avant-hier antes de ayer.
Avec con.
Avenir futuro.
Aventure aventura.
Averse aguacero, chubasco.
Avertir avisar.
Aveugle ciego.
Avion avión.
Avis aviso.
Avocat abogado.
Avoir tener.
  (**Il y a :** hay).
Avortement aborto.
Avril abril.

B

Bâbord babor.
Bac transbordador.
Bâche lona.
Bagage equipaje.
Bague argolla, sortija.
Baignade baño.
Baigneur bañista.
Bain baño.

Baiser beso.
Baisse baja.
Baisser (se) agacharse.
Balade paseo, vuelta.
Balai escoba.
Balance balanza, pesa.
Balayer barrer.
Ballon balón, globo.
Balnéaire balneario.
Balustrade balaustrada.
Banc banco.
Bandage vendaje.
Banlieue periferie.
Banque banco.
Barbe barba.
Barque barca.
Barrage presa.
Barre barra.
Bas *(nom)* media.
— *(adj.)* bajo.
Baser basar.
Bassin estanque.
Bas-ventre bajo vientre.
Bataille batalla.
Bateau barco.
Bâtiment edificio.
Bâtir edificar, construir.
Bâton palo, varilla.
Battre golpear.
Baume bálsamo.
Bavard hablador, parlanchín.
Bavière Baviera.
Beau bello, hermoso.
Beaucoup mucho(s).
Beau-fils yerno.
Beau-frère cuñado.
Beau-père suegro.
Beauté belleza.
Bébé bebé, nene.
Beige beige.
Belge belga.
Belgique Bélgica.
Belle-fille nuera.

Belle-mère suegra.
Belle-sœur cuñada.
Belvédère belvedere, mirador.
Bénéfice beneficio.
Bénévole benévolo.
Bénir bendecir.
Berge ribera, orilla.
Besoin necesidad.
(**Avoir besoin :** necesitar).
Bétail ganado.
Bête *(nom)* animal.
— *(adj.)* tonto, estúpido.
Beurre mantequilla.
Bicyclette bicicleta.
Bien bien.
Bientôt luego, pronto.
Bienvenu bienvenido.
Bière cerveza.
Bifurcation bifurcación.
Bijou joya.
Bijoutier joyero.
Billet *(argent)* billete.
— *(voy.)* billete,
(*AmL* : pasaje, boleto).
— *(spec.)* entrada,
localidad.
Bisaïeul bisabuelo.
Blâmable censurable.
Blanc blanco.
Blanchir blanquear.
Blanchisserie lavandería.
Blé trigo.
Blesser herir.
Bleu azul.
Bobine carrete, rollo.
Bœuf buey.
Boire beber, tomar.
Bois madera.
Boisson bebida.
Boîte caja, *(dancing)* boîte.
Bon bueno.
Bonheur felicidad.
Bonjour buenos días.

Bonne nuit buenas noches.
Bonsoir buenas tardes.
Bonté bondad.
Bord borde, orilla.
Bosquet bosquecillo.
Bosse *(anat.)* joroba.
— *(route)* montículo.
Bouche boca.
Boucherie carnicería.
Boucle *(cheveux)* bucle, rizo.
— *(ceinture)* hebilla.
Boudin morcilla.
Boue barro.
Bouée salvavidas.
Bouger moverse.
Bougie vela, bujía.
Bouillant hirviendo.
Boulanger panadero.
Boule bola.
Boussole brújula.
Bouteille botella.
Boutique tienda.
Bouton botón, tecla.
Bracelet brazalete, pulsera.
Bras brazo.
Brasserie cervecería.
Bref *(adj.)* corto.
Brésil Brasil.
Brillant brillante.
Broder bordar.
Brosse cepillo.
Brouillard niebla.
Bruit ruido.
Brûler quemar.
Brume bruma.
Brun moreno.
Bureau despacho, oficina.
Bus bus.
But objetivo, finalidad, meta.
— *(sport)* gol.
Butane butano.
Buvable bebible.

C

Cabane cabaña.
Cabaret cabaret.
Cabine cabina.
Câble cable.
Cacher esconder.
Cadeau regalo.
Cadenas candado.
Cadet menor.
Caduc caduco.
Cafard cucaracha.
Café café.
Cahier cuaderno.
Caillou piedra, guijarro.
Caisse caja.
Calcaire calcáreo.
Cale cala, bodega.
Calendrier calendario.
Calmant calmante.
Calme tranquilo.
Camarade compañero.
Camion camión.
Campagne campo.
Camper acampar.
Camping camping.
Canal canal.
Canard pato.
Cancer cáncer.
Canne bastón.
Canot canoa.
Capable capaz.
Capitale capital.
Car autocar.
Cardiaque cardíaco.
Cargaison carga.
Carré cuadrado.
Carrefour cruce.
Carte *(géo.)* mapa.
— *(postale)* tarjeta postal.
— *(visite)* tarjeta de visita.
Carton cartón.
Cas caso.

Casse rotura.
Casse-croûte bocadillo.
Casser romper, quebrar.
Casserole cacerola.
Cathédrale catedral.
Cauchemar pesadilla.
Cause causa.
(**A cause de :** a causa de, por).
Causer causar.
Caution fianza.
Cavalier jinete.
Ce este, ese.
Ceci esto.
Cela eso.
Célèbre célebre.
Célibataire soltero.
Celle(s)-ci ésta(s).
Celle(s)-là ésa(s).
Celui-ci éste.
Celui-là ése.
Cent cien.
Central central.
Centre centro.
Cependant sin embargo.
Cercle círculo.
Certain seguro.
Certainement seguramente.
Certificat certificado.
Ces estos, esos.
Cet este, ese.
Cette esta, esa.
Ceux-ci éstos.
Ceux-là ésos.
Chacun cada uno.
Chaîne cadena.
Chaise silla.
Chalet chalé.
Chaleur calor.
Chaloupe chalupa.
Chambre habitación, (*AmL :* cuarto).
Chance suerte.

Change cambio.
Changement cambio.
Changer cambiar.
Chanson canción.
Chant canto.
Chapeau sombrero.
Chapelle capilla.
Chaque cada.
Charbon carbón.
Charcutier salchichero.
Charge carga.
Chariot carro.
Chasser cazar.
Château castillo.
Chaud caliente.
Chauffage calefacción.
Chauffer calentar.
Chauffeur conductor, chofer.
Chaussure zapato.
Chemin camino.
Chemise camisa.
Chèque cheque.
Cher *(prix)* caro.
— *(affec.)* querido.
Chercher buscar.
Chéri querido.
Cheval caballo.
Cheveux pelo.
Chien perro.
Chiffon trapo.
Chiffre cifra, número.
Choc choque.
Choisir elegir, escoger.
Chose cosa.
Chute caída.
Ciel cielo.
Cigare cigarro, puro.
Cigarette cigarrillo.
Cimetière cementerio.
Cinéma cine.
Cintre percha.
Cirage betún, cera.
Circonstance circunstancia.

Circuit circuito.
Circulation circulación, tráfico.
Ciseaux tijeras.
Citoyen ciudadano.
Citron limón.
Clair claro.
Classe clase.
Clavicule clavícula.
Clef llave.
Client cliente.
Climat clima.
Cloche campana.
Clocher campanario.
Clou clavo.
Cochon cerdo.
Code código.
Cœur corazón.
Coiffeur peluquero.
Coin rincón, *(rue)* esquina.
Col *(vêt.)* cuello.
— *(géo.)* puerto,
  (AmL : paso).
Colère cólera, ira.
Colis paquete.
Collant leotardo,
  (AmL : pantis).
Colle cola.
Collection colección.
Collier collar.
Colline colina.
Collision colisión, choque.
Colonne columna.
Coloré colorado.
Combien cuánto.
Comestible comestible.
Commandant comandante.
Commande pedido.
Comme como.
Commencement principio,
  comienzo.
Comment cómo.
Commode cómodo.
Commun común.

Communication comunicación.
Compagnon compañero.
Comparaison comparación.
Comparer comparar.
Compartiment compartimiento.
Compatriote compatriota.
Complet completo, lleno.
Complètement completamente.
Composé compuesto.
Composer componer.
Comprendre entender,
  comprender.
Comprimé *(nom)* pastilla.
— *(adj.)* comprimido.
Compris incluido.
Compte bancaire cuenta
  bancaria.
Compter contar.
Concerner concernir.
Concert concierto.
Concierge conserje, guardia.
Condition condición.
Condoléances condolencias,
  pésame.
Conducteur conductor.
Conduire conducir,
  (AmL : manejar).
Conduite *(morale)* conducta.
— *(auto)* conducción,
  (AmL : manejo).
Conférence conferencia.
Confiance confianza.
Confirmer confirmar.
Confiture mermelada.
Confondre confundir.
Confort confort.
Confortable confortable,
  cómodo.
Congé feriado.
Connaissance *(personne)*
  conocido.
— *(savoir)* conocimiento,
  saber.

Connaître conocer.
Consciencieux serio.
Conscient consciente.
Conseiller aconsejar.
Consentir consentir.
Conserver conservar.
Considérable considerable.
Considérer considerar.
Consigne consigna.
Consommation consumo.
Consommer consumir.
Constater constatar,
comprobar.
Constitution constitución.
Construire construir.
Consulat consulado.
Contact contacto.
Contenir contener.
Content contento.
Contenu contenido.
Continuer continuar, seguir.
Contraceptif contraceptivo,
anticonceptivo.
Contrainte obligación,
limitación.
Contraire contrario,
(**Au contraire :** al contrario).
Contrat contrato.
Contre contra.
Contrôle control.
Contrôleur revisor,
(*AmL* : inspector).
Convaincre convencer.
Convaincu convencido.
Convenir convenir.
Conversation conversación,
charla, (*Mex* : plática).
Coq gallo.
Corde cuerda, soga.
Cordial cordial.
Cordonnier zapatero.
Corps cuerpo.
Corpulent corpulento.

Correct correcto.
Correspondance *(lettres)*
correspondencia.
— *(métro)* cambio.
— *(train)* transbordo.
Corriger corregir.
Costume traje.
Côte costilla.
Côté lado,
(**A côté de :** al lado de,
junto a).
Coton algodón.
Cou cuello.
Coucher (se) acostarse.
Couchette litera.
Coude codo.
Coudre coser.
Couler correr, gotear.
Couleur color.
Coup golpe.
Coupable culpable.
Couper cortar.
Couple pareja.
Coupon cupón.
Cour patio.
Courant corriente.
Courir correr.
Courrier correo.
Courroie correa.
Cours curso.
Court corto.
Cousin primo.
Coût coste, costo.
Couteau cuchillo.
Coûter costar.
Couteux costoso, caro.
Couturier modisto.
Couvent convento.
Couvert cubierto.
Couverture manta,
(*Mex* : cobija,
AmL : frazada).
Couvrir cubrir, tapar.

Cracher escupir.
Craindre temer.
Crayon lápiz.
Crédit crédito.
Créer crear.
Crème crema.
Crépuscule crepúsculo.
Crier gritar.
Critiquer criticar.
Croire creer.
Croisière crucero.
Cru crudo.
Cueillir coger, cosechar,
   (*Mex* : recolectar).
Cuiller cuchara.
Cuir cuero.
Cuire cocer.
Cuisine cocina.
Cuisiner cocinar.
Cuisinier cocinero.
Cuisinière à gaz cocina a
   gas.
Cuisse muslo.
Curé cura.
Curieux curioso.
Curiosité curiosidad.
Cyprès ciprés.

D

Dame señora, dama.
Dancing dancing.
Danemark Dinamarca.
Danger peligro.
Danois danés.
Dans en, dentro de.
Danse danza, baile.
Danser bailar.
Date fecha.
Davantage más.
De de.
Débarquement desembarco.

Débarquer desembarcar.
Débile *(mental)* atrasado
   mental.
Debout de pie, parado.
Débrancher desenchufar.
Début principio,
   (**Au début :** al principio).
Débuter iniciar, debutar.
Décembre diciembre.
Décent decente.
Décevoir decepcionar.
Décharger descargar.
Déchirer rasgar, rajar.
Décidé decidido.
Décider decidir.
Décision decisión.
Déclaration declaración.
Déclarer declarar.
Décollage despegue.
Décommander anular,
   cancelar.
Décompte detalle de una
   cuenta.
Déconseiller desaconsejar.
Décor decorado.
Découragé desanimado.
Décourager desanimar.
Découvrir descubrir.
Décrire describir.
Déçu decepcionado.
Dedans adentro.
Dédommager indemnizar.
Dédouaner sacar de la
   aduana.
Défaire deshacer.
— *(les valises)* abrir las
   maletas.
Défaut defecto.
Défavorable desfavorable.
Défectueux defectuoso.
Défendre defender.
Définir definir.
Dégât destrozo.

Dehors afuera.
Déjà ya.
Déjeuner almorzar,
  (*Mex* : comer).
Délai plazo.
Délicat delicado.
Délit delito.
Délivrer entregar, otorgar.
Demain mañana.
Demande pedido.
Démarrer arrancar, echar a
  andar.
Déménager mudarse, cambiar
  de casa.
Demi medio.
Démodé pasado de moda,
  anticuado.
Demoiselle señorita.
Denrées alimentaires
  alimentos.
Dent diente.
Dentelle encaje.
Dentifrice pasta de dientes.
Dentiste dentista.
Départ partida.
Dépasser sobrepasar.
Dépêche telegrama.
Dépêcher (se) darse prisa.
Dépense gasto.
Dépenser gastar.
Déplaire disgustar, no gustar.
Déplaisant poco grato,
  fastidioso.
Déposer depositar.
Depuis desde.
Dérangement avería,
  transtorno.
Déranger molestar.
Dérégler descomponer,
  desajustar.
Dernier último.
Derrière detrás.
Dès que en cuanto.

Désagréable desagradable.
Descendre bajar.
Descente bajada.
Description descripción.
Désert desierto.
Désespéré desesperado.
Déshabiller desvestir.
Désinfecter desinfectar.
Désir deseo.
Désirer desear.
Désordre desorden.
Dessiner dibujar.
Dessous debajo.
Dessus encima.
Destinataire destinatario.
Destination destino.
Détachant quitamanchas.
Détail detalle.
Détour vuelta, rodeo.
Détruire destruir.
Dette deuda.
Deuxième segundo.
Deuxièmement en segundo
  lugar.
Devant adelante.
Développement desarrollo.
Développer desarrollar.
Devenir transformarse,
  volverse.
Déviation desviación.
Deviner adivinar.
Devises divisas.
Devoir deber.
Diarrhée diarrea.
Dictionnaire diccionario.
Dieu Dios.
Différence diferencia.
Différent diferente.
Différer diferir.
Difficile difícil.
Difficulté dificultad.
Dimanche domingo.
Diminuer disminuir.

Dîner cenar.
Dire decir.
Directement directamente.
Directeur director.
Direction dirección.
Disparaître desaparecer.
Disque disco.
Distance distancia.
Distingué distinguido.
Distinguer distinguir.
Distraction distracción.
Distraire (se) distraerse.
Distrayant entretenido.
Divers diverso.
Divertissant divertido, entretenido.
Divinité divinidad.
Diviser dividir.
Dix diez.
Dizaine decena.
Docteur doctor.
Document documento.
Doigt dedo.
Domaine dominio.
Domicile domicilio.
Dommage (quel) ¡ qué lástima !
Donc por lo tanto.
Donner dar.
Dont cuyo(a, os, as), del cual, de la cual, de los cuales, de las cuales.
Dormir dormir.
Dos espalda.
Douane aduana.
Douanier aduanero.
Double doble.
Doubler doblar, *(route)* sobrepasar.
Doucement despacio, lentamente.
Douche ducha.
Douleur dolor.

Douloureux doloroso.
Doute duda.
Douteux dudoso.
Doux suave.
Douzaine docena.
Drap sábana.
Droit *(nom)* derecho.
— *(adj.)* derecho, recto.
(**A droite :** a la derecha).
Dune duna.
Dur duro.
Durée duración.
Durer durar.
Dureté dureza.

E

Eau agua.
Écart distancia, diferencia.
Ecclésiastique eclesiástico.
Échange intercambio.
Échanger intercambiar, cambiar.
Échantillon muestra.
Échelle escala.
Éclair rayo.
Éclairer aclarar.
École escuela.
Économiser economizar.
Écouter escuchar.
Écouteur auricular, (*AmL :* audífono).
Écrire escribir.
Édifice edificio.
Éducation educación.
Effet efecto.
Efficace eficaz.
Efforcer (s') esforzarse.
Effort esfuerzo.
Effrayer (s') asustarse.
Égal igual, lo mismo,

(**Cela m'est égal :** me da lo mismo).
Égard consideración,
(**A l'égard de :** respecto a).
Égarer perder.
Église iglesia.
Élections elecciones.
Éloigné alejado.
Emballage embalaje.
Embrasser besar, abrazar.
Émission emisión.
Emmener llevar.
Empêcher impedir.
Empire imperio.
Emploi empleo.
Employé empleado.
Employer emplear, usar.
Emporter llevar.
Emprunter pedir prestado.
Ému emocionado.
En en.
Encore todavía.
Endommager dañar, estropear.
Endormir (s') dormirse.
Endroit lugar.
Enfant niño.
Enfin por fin.
Enflammer inflamar.
Enflure hinchazón.
Enlever sacar, retirar.
Ennuyeux aburrido, molesto.
Enseigner enseñar.
Ensemble *(nom)* conjunto.
— *(adv.)* juntos(as).
Ensuite en seguida.
Entendre oír.
Enthousiasme entusiasmo.
Entier entero.
Entracte entreacto, intermedio.
Entraider ayudar.
Entre entre.
Entrée entrada.
Entreprise empresa.

Entrer entrar.
Enveloppe sobre.
Envers *(nom)* reverso.
— *(prép.)* para, con.
(**A l'envers :** al revés).
Environ alrededor de, más o menos.
Environs alrededores.
Envoyer enviar, mandar.
Épais espeso.
Épaule hombro.
Épeler deletrear.
Épice especia, condimento.
Épicerie tienda de comestibles.
Épidémie epidemia.
Épingle alfiler.
Époque época.
Epouvantable espantoso.
Époux esposo.
Épuisé agotado.
Équipage tripulación.
Équipe equipo.
Équipement equipamiento.
Équiper equipar.
Équitation equitación.
Équivalent equivalente.
Erreur error.
Escale escala.
Escalier escalera.
Escroquerie estafa.
Espace espacio.
Espagne España.
Espagnol español.
Espèces dinero efectivo.
Espérer esperar.
Essayer probar, tratar.
Essence gasolina,
(*AmL :* bencina, nafta).
Est este.
Estimer estimar.
Estomac estómago.
Et y.

Étage piso.
État estado.
Été verano.
Éteindre apagar.
Étendre (s') extenderse,
  tenderse.
Étoffe tela.
Étoile estrella.
Étonner (s') extrañarse.
Étranger extranjero.
Être ser, estar.
Étroit estrecho.
Étude estudio.
Étudier estudiar.
Europe Europa.
Européen europeo.
Évaluer evaluar.
Évanouir (s') desmayarse.
Événement acontecimiento.
Éventuellement
  eventualmente.
Évident evidente.
Éviter evitar.
Exact exacto.
Examiner examinar.
Excédent excedente.
Excellent excelente.
Exception excepción.
Excursion excursión.
Excuse excusa.
Excuser (s') disculparse,
  excusarse.
Exemple ejemplo.
Exercer (s') ejercitarse.
Exercice ejercicio.
Expédition *(voy.)* expedición.
— *(envoi)* despacho.
Expérience experiencia.
Expert experto.
Expirer expirar.
Expliquer explicar.
Exportation exportación.
Exposition exposición.

Exprès expresamente,
  a propósito.
Express expreso.
Extérieur exterior,
  (**A l'extérieur :** en el
  exterior).
Extincteur extinguidor.
Extraordinaire extraordinario.

F

Fabriqué à hecho en.
Face cara, faz, frente.
  (**En face de :** frente a).
Fâché enfadado,
  (*AmL :* enojado).
Fâcheux molesto, fastidioso.
Facile fácil.
Facilité facilidad.
Façon manera.
Facteur cartero.
Facture factura.
Faible débil.
Faim hambre.
Faire hacer,
  (**Faire attention :** tener
  cuidado),
  (**Faire demi-tour :** dar media
  vuelta),
  (**Faire marche arrière :**
  retroceder).
Fait hecho.
Falloir ser necesario, precisar,
  (**Il faut :** es necesario, se
  precisa).
Famille familia.
Fatigant cansador.
Fatiguer (se) cansarse.
Faute falta, culpa.
Faux falso.
Faveur favor.
Féliciter felicitar.

Féminin femenino.
Femme mujer.
Fenêtre ventana.
Fer hierro.
Férié feriado.
Ferme *(nom)* granja, finca,
   (*AmL :* hacienda).
— *(adj.)* firme, consistente.
Fermé cerrado.
Fermer cerrar.
Fermeture cierre.
Féroce feroz.
Ferroviaire ferroviario.
Fête fiesta.
Fêter festejar, celebrar.
Feu fuego.
Feuille hoja.
Février febrero.
Fiancé novio.
Ficelle cuerda, soga.
Fièvre fiebre.
Fil hilo.
Filet *(pêche)* red.
Fille hija, niña, chica.
Film película.
Firme firma.
Fixer fijar.
Flamme llama.
Fleur flor.
Fleurir florecer.
Fleuve río.
Foi fé.
Foie hígado.
Foire feria.
Fois vez.
Fonctionnaire funcionario.
Fonctionner funcionar.
Fond fondo.
Force fuerza.
Forêt bosque, *(forêt vierge)*
   selva virgen.
Formation formación.
Forme forma.

Former formar.
Formidable formidable.
Formulaire formulario.
Fort fuerte.
Fou loco.
Foulard pañuelo para el
   cuello.
Foule muchedumbre, gentío.
Fourchette tenedor.
Fournir abastecer, dar.
Fourrure piel.
Fragile frágil.
Frais fresco.
Français francés.
France Francia.
Frapper golpear.
Fraude fraude.
Frein freno.
Fréquent frecuente.
Frère hermano.
Frire freír.
Froid frío.
Fromage queso.
Frontière frontera.
Frotter frotar.
Fruit fruta.
Fuite escape.
Fumé ahumado.
Fumée humo.
Fumer fumar.
Fumeur fumador.
Funiculaire funicular.
Furieux furioso.
Fusible fusible.
Fusil escopeta.
Futur futuro.

G

Gagner ganar.
Gai alegre.

Gain ganancia.
Galerie galería.
Galoper galopar.
Gant guante.
Garage garaje.
Garantie garantía.
Garçon chico, muchacho.
Garder guardar, mantener.
Gardien guardia.
Gare estación.
Garer (se) aparcar, estacionar.
Gasoil gasóleo.
Gaspiller gastar, malgastar.
Gâteau pastel.
Gauche izquierda,
  (**A gauche :** a la izquierda).
Gaz gas.
Gazeux gaseoso.
Geler helar.
Général general.
Gens gente.
Gentil gentil.
Gérant administrador, gerente.
Gibier caza.
Glace hielo.
Gonfler inflar.
Gorge garganta.
Goût gusto.
Goûter probar.
Goutte gota.
Grâce à gracias a.
Grand grande.
Grandeur grandeza, tamaño.
Grandir crecer.
Grand-mère abuela.
Grand-père abuelo.
Gras *(nom)* gordo, gordura.
— *(adj.)* graso, grasoso.
Gratuit gratis.
Grave grave.
Grève huelga.
Grillé asado.
Griller asar, tostar.

Grimper escalar, trepar.
Grippe gripe.
Gris gris.
Gros gordo.
Grossier grosero.
Grossir engordar.
Groupe grupo.
Guêpe avispa.
Guérir sanar, mejorarse.
Guichet ventanilla.
Guide *(pers.)* guía.
— *(livre)* guía.
Guider guiar.

H

Habiller (s') vestirse.
Habitant habitante.
Habiter vivir.
Habitude costumbre.
Habituellement habitualmente.
Habituer (s') acostumbrarse.
Hacher picar, moler.
Hanche cadera.
Haricot judía, (*Mex* : frijol,
  AmL : poroto).
Hasard casualidad, azar.
Hâte prisa.
Haut alto,
  (**En haut :** arriba).
Hauteur altura.
Hebdomadaire *(nom)*
  semanario.
— *(adj.)* semanal.
Herbe hierba.
Heure hora.
Heureux feliz.
Heureusement felizmente,
  por suerte.
Hier ayer.
Histoire historia.
Hiver invierno.

Homard bogavante.
Homéopathie homeopatía.
Hommage homenaje.
Homme hombre.
Honnête honesto, correcto.
Honneur honor.
Honoraires honorarios.
Honte vergüenza,
(**Avoir honte** darle
vergüenza, *ex :* **j'ai honte**
me da vergüenza).
Hôpital hospital.
Horaire horario.
Horloger relojero.
Horrible horrible.
Hors de fuera de.
Hors-d'œuvre entremés,
entrada.
Hors-saison fuera de estación.
Hors taxe libre de impuestos.
Hospitalité hospitalidad.
Hôte huésped.
Hôtel hotel.
Hôtel de ville Ayuntamiento,
(*AmL :* Municipalidad).
Hôtesse *(de l'air)* azafata.
Huile aceite.
Huître ostra, (*Mex :* ostión).
Humeur humor.
Humide húmedo.
Humour humor.
Hutte choza.

I

Ici aquí, (*AmL :* acá).
Idéal ideal.
Idée idea.
Idiot idiota.
Il él.
Il y a hay.
Ile isla.

Illégal ilegal.
Illustration ilustración.
Ils ellos.
Image imagen.
Imbécile imbécil.
Immatriculation matrícula.
Immédiat inmediato.
Immeuble inmueble, edificio.
Immigration inmigración.
Immunisé inmunizado.
Impatient impaciente.
Imperméable impermeable.
Important importante.
Importuner importunar.
Impossible imposible.
Impôt impuesto.
Impression impresión.
Imprimer imprimir.
Impropre impropio.
Imprudent imprudente.
Inadvertance inadvertencia.
Inattendu inesperado.
Incapable incapaz.
Incendie incendio.
Incertain incierto.
Incident incidente.
Inclure incluir.
Inclus incluido.
Inconfortable inconfortable.
Inconnu desconocido.
Inconvénient inconveniente.
Incroyable increíble.
Indécent indecente.
Indécis indeciso.
Indépendant independiente.
Indésirable indeseable.
Indéterminé indeterminado.
Indication indicación.
Indice índice.
Indigestion indigestión.
Indiquer indicar.
Indispensable indispensable.
Individuel individual.

Industrie industria.
Inefficace ineficaz.
Inévitable inevitable.
Inexpérimenté inexperto.
Infecté infectado.
Infectieux infeccioso.
Infirme inválido.
Infirmière enfermera.
Inflammable inflamable.
Information información.
Informer informar.
Injection inyección.
Injuste injusto.
Innocent inocente.
Inoffensif inofensivo.
Inondation inundación.
Inquiet inquieto.
Inscrire inscribir.
Insecte insecto.
Insecticide insecticida.
Insignifiant insignificante.
Insister insistir.
Insolation insolación.
Insomnie insomnio.
Installation instalación.
Instant instante.
Institut instituto.
Instruction instrucción.
Instrument instrumento.
Insuffisant insuficiente.
Insuline insulina.
Insupportable insoportable.
Intelligence inteligencia.
Intelligent inteligente.
Intensif intensivo.
Intercontinental
   intercontinental.
Intéressant interesante.
Intéresser (s') interesarse.
Intérêt interés.
Intérieur (à l'intérieur de)
   dentro de.
Intermédiaire intermediario.

International internacional.
Interprète intérprete.
Interroger interrogar.
Interrompre interrumpir.
Interrupteur interruptor.
Interruption interrupción.
Intervalle intervalo.
Intonation entonación.
Intoxication intoxicación.
Inutile inútil.
Inventer inventar.
Inversement contrariamente.
Invitation invitación.
Inviter invitar, convidar.
Invraisemblable inverosímil.
Irrégulier irregular.
Irrité irritado.
Italie Italia.
Italien italiano.
Itinéraire itinerario.
Ivre ebrio, borracho.

J

Jadis en otros tiempos.
Jaloux celoso.
Jamais nunca, jamás.
Jambe pierna.
Jambon jamón.
Janvier enero.
Japon Japón.
Japonais japonés.
Jardin jardín.
Jaune amarillo.
Je yo.
Jetée malecón.
Jeter tirar, botar.
Jeton ficha.
Jeu juego.
Jeudi jueves.
Jeun (à) en ayunas.
Jeune joven.

Jeûner ayunar.
Jeunesse juventud.
Joaillerie joyería.
Joie alegría.
Joindre juntar.
Joli bonito, (AmL : lindo).
Jonction junción.
Jouer jugar.
Jouet juguete.
Jouir gozar.
Jour día.
Journal periódico, (AmL : diario).
Journée día, jornada.
Joyeux alegre, feliz.
Juge juez.
Juger juzgar.
Juillet julio.
Juin junio.
Jumeau gemelo.
Jumelles prismáticos.
Jument yegua.
Jupe falda.
Jurer jurar.
Juridique jurídico.
Juron juramento, grosería.
Jus zumo, (AmL : jugo).
Jusque hasta,
    (**Jusqu'à ce que :** hasta que).
Juste justo, (étroit) estrecho.
Justement justamente.
Justice justicia.
Justifier justificar.
Juteux jugoso.

K - L

Kilogramme kilógramo.
Kilomètre kilómetro.
Kiosque kiosco.
Klaxon claxon, bocina

Là allí, ahí.
Là-bas allá.
Lac lago.
Lacet lazo, cordón.
Là-haut allá arriba.
Laid feo.
Laine lana.
Laisser dejar.
Laissez-passer pase, salvoconducto.
Lait leche.
Lampe lámpara.
— (de poche) linterna.
Langue lengua.
Lapin conejo.
Large ancho.
Largeur ancho.
Lavabo lavabo.
Laver lavar.
Laverie lavandería.
Le, la, les el, la, los, las.
Leçon lección, clase.
Légal legal.
Léger liviano.
Légume verdura, (sec) legumbre.
Lent lento.
Lentement lentamente.
Lentille lenteja.
— (optique) lente.
Lésion lesión.
Lessive lavado.
Lettre carta.
Leur, leurs su, sus.
Lever (se) levantarse.
Levier palanca.
Lèvre labio.
Libre libre.
Licence licencia, permiso, carné.
Licite lícito.
Lier ligar, unir.
Lieu lugar,

(**Avoir lieu :** ocurrir, tener lugar).
Ligne línea, *(pêche)* caña de pescar.
Linge ropa.
Liquide líquido.
Lire leer.
Liste lista.
Lit cama.
Lithuanie Lituania.
Litige litigio.
Litre litro.
Livre libro.
Localité localidad.
Locataire arrendatario.
Location alquiler, (*AmL :* arriendo).
Loge *(théâtre)*, palco.
Loi ley.
Loin lejos.
Loisir tiempo libre, distracción.
Long largo.
Longueur largo.
Lotion loción.
Louer alquilar, arrendar.
Lourd pesado.
Loyer alquiler, arriendo.
Lui él.
Lumière luz.
Lumineux luminoso.
Lundi lunes.
Lune luna.
Lunettes gafas, (*AmL :* anteojos).
Luxe lujo.
Luxueux lujoso.

M

Machine máquina.
Mâchoire mandíbula.

Madame Señora.
Mademoiselle Señorita.
Magasin tienda,
  (**Grand magasin :** almacén).
Magnifique magnífico.
Mai Mayo.
Maigre flaco, delgado.
Maigrir adelgazar.
Maillot de bain traje de baño.
Main mano.
Maintenant ahora.
Mairie ayuntamiento, (*AmL :* Municipalidad, Alcaldía).
Maïs maíz.
Maison casa.
Maître amo, maestro,
  (**Maître d'hôtel :** jefe de comedor).
Malade malo, enfermo.
Mâle macho.
Malheureusement desgraciadamente.
Malheureux desgraciado.
Malhonnête deshonesto, incorrecto.
Malle baúl.
Malsain malsano.
Manche *(vêt.)* manga.
Manger comer.
Manière manera, forma.
Manifestation manifestación.
Manifestement en forma manifiesta.
Manque falta.
Manquer faltar.
Manteau abrigo.
Manucure manicura.
Manuel *(de conversation)* manual.
Maquillage maquillaje.
Marchand comerciante.
Marchander regatear.
Marchandise mercadería.

Marcher caminar, andar.
Mardi martes.
Marée *(basse)* marea baja.
— *(haute)* marea alta.
Mari marido.
Mariage matrimonio, boda.
Marié casado.
Marier (se) casarse.
Marin marino.
Marine marina.
Maroquinerie marroquinería.
Marque marca.
Marraine madrina.
Marron marrón, café.
Mars marzo.
Marteau martillo.
Masculin masculino.
Masque máscara.
Massage masaje.
Match partido.
Matelas colchón.
Matériel material.
Matin mañana.
Mauvais malo.
Maximum máximo.
Mécanicien mecánico.
Mécanisme mecanismo.
Méchant malo.
Mèche mecha.
Mécontent descontento.
Médecin médico.
Médical médico.
Médicament medicina,
   remedio.
Médiocre mediocre.
Méditerranée Mediterráneo.
Méfier (se) desconfiar.
Meilleur mejor.
Mélange mezcla.
Mélanger mezclar.
Membre miembro.
Même mismo.
Mensonge mentira.

Mensuel mensual.
Mentir mentir.
Mercredi miércoles.
Mère madre.
Merveilleux maravilloso.
Message mensaje.
Messe misa.
Mesure medida.
Mesurer medir.
Métal metal.
Météorologie meteorología.
Mètre metro.
Métro metro, (*Arg :* subte).
Mettre poner.
Meuble mueble.
Meublé amueblado, amoblado.
Meurtre homicidio.
Mexique Méjico.
Microbe microbio.
Midi mediodía.
Mieux mejor.
Migraine jaqueca.
Milieu medio.
   (**Au milieu de :** en medio
   de).
Mille *(distance)* milla.
— *(nombre)* mil.
Million millón.
Mince delgado.
Mine mina.
Mineur menor de edad.
Minimum mínimo.
Minuit medianoche.
Minute minuto.
Miroir espejo.
Mode moda.
— **d'emploi** instrucciones.
Modèle modelo.
Moderne moderno.
Moi yo.
Moins menos,
   (**Au moins :** al menos, por
   lo menos).

Mois mes.
Moitié mitad.
Moment momento, rato.
Mon, ma, mes mi, mis.
Monastère monasterio.
Monde mundo,
   (**Beaucoup de monde :**
   mucha gente).
Monnaie moneda, cambio,
   sencillo, vuelto.
Monsieur Señor.
Montagne montaña, sierra.
Montant importe, costo.
Monter subir.
Montre reloj.
Montrer enseñar, mostrar.
Monument monumento.
Morceau trozo.
Mort *(nom)* muerte.
— *(adj.)* muerto.
Mosquée mezquita.
Mot palabra.
Moteur motor.
Moto moto.
Mou blando.
Mouche mosca.
Mouchoir pañuelo.
Mouillé mojado.
Moule molde.
Mourir morir.
Moustiquaire mosquitero.
Moustique mosquito,
   (*AmL :* zancudo).
Moutarde mostaza.
Mouton cordero.
Mouvement movimiento.
Moyen *(nom)* medio.
— *(adj.)* mediano.
Mur muro, pared.
Mûr maduro.
Musée museo.
Musique música.
Musulman musulmán.

N

Nage natación.
Nager nadar.
Naissance nacimiento.
Naître nacer.
Nappe mantel.
Natation natación.
Nationalité nacionalidad.
Nature naturaleza.
Naturel natural.
Naufrage naufragio.
Nausée náusea.
Navigation navegación.
Navire nave, barco.
Nécessaire necesario.
Nécessité necesidad.
Né nacido.
Nef nave.
Négatif negativo.
Négligent negligente.
Neige nieve.
Neiger nevar.
Nerveux nervioso.
N'est-ce pas ? ¿ verdad ?,
   (*AmL :* ¿ no es cierto ?).
Nettoyer limpiar.
Neuf nuevo.
Neveu sobrino.
Nez nariz.
Nièce sobrina.
Nier negar.
Niveau nivel.
Noël Navidad.
Nœud nudo.
Noir negro.
Nom *(de famille)* apellido.
— *(gramm.)* sustantivo.
Nombre número.
— *(quantité)* cantidad.
Nombreux numeroso.
Non no.
Nord norte.

Nord-est noreste.
— **-ouest** noroeste.
Normal normal.
Note nota.
Notre, nos nuestro(a), nuestros(as).
Nourrissant alimenticio.
Nourriture alimento, comida.
Nous nosotros.
Nouveau nuevo, novedoso.
Nouvel An Año Nuevo.
Nouvelle *(information)* noticia.
Novembre noviembre.
Noyau hueso, núcleo.
Noyer ahogar.
Nu desnudo.
Nuage nube.
Nuire perjudicar.
Nuisible perjudicial, dañino.
Nuit noche.
Nulle part en ninguna parte.
Numéro número.
Numéroter numerar.

O

Objectif objetivo.
Objet objeto.
Obligation obligación.
Obligatoire obligatorio.
Obscur obscuro.
Observer observar.
Obtenir obtener, conseguir.
Occasion ocasión.
Occupé ocupado.
Occuper (s') ocuparse.
Océan océano.
Octobre octubre.
Odeur olor.
Œil ojo.
Œillet clavel.
Œuf huevo.

Œuvre obra.
Offense ofensa.
Office oficina, oficio.
Officiel oficial.
Offrir ofrecer, regalar.
Oiseau pájaro.
Ombre sombra.
Omelette tortilla.
Omission omisión, olvido.
On se.
Oncle tío.
Onde onda.
Ongle uña.
Onze once.
Opéra ópera.
Opération operación.
Opérer operar.
Opinion opinión.
Opportun oportuno.
Opposé opuesto.
Opticien óptico.
Or oro.
Orage tormenta.
Orange naranja.
Orchestre orquesta.
Ordinaire ordinario.
Ordinateur ordenador, (*AmL* : computador).
Ordonnance receta.
Ordre orden.
Ordure basura.
Oreille oreja.
Oreiller almohada.
Organisation organización.
Organiser organizar.
Orientation orientación.
Orienter (s') orientarse.
Originaire originario.
Original original.
Orteil (gros) dedo mayor del pie.
Orthographe ortografía.
Os hueso.

Oser atreverse.
Oter quitar, sacar.
Ou o.
Où dónde.
Oublier olvidar.
Ouest oeste.
Oui sí.
Outil herramienta.
Outre-mer ultramar.
Ouvert abierto.
Ouvre-boîtes abrelatas.
Ouvrir abrir.

P

Pacotille pacotilla.
Page página.
Paiement pago.
Paillasson felpudo.
Paille paja.
Pain pan.
Paire par.
Paix paz.
Palais palacio.
Pâle pálido.
Palmes *(nat.)* aletas.
Pamplemousse pomelo,
  (*Mex* : toronja).
Panier cesta, (*AmL* : canasto).
Panne avería.
Panneau cartel, panel.
Pansement apósito.
Pantalon pantalón.
Papeterie papelería.
Papier papel.
Papiers *(documents)*
  documentos.
Papillon mariposa.
Paquebot barco.
Pâques Pascua, Semana
  Santa.

Paquet paquete.
Par por.
Paraître aparecer.
Parapluie paraguas.
Parasol parasol.
Paravent biombo.
Parc parque.
Parce que porque.
Parcmètre parquímetro.
Par-dessus por encima.
Pardessus sobretodo.
Pardon perdón.
Pardonner perdonar.
Pareil igual.
Parent pariente.
Parents *(les)* padres.
Paresseux perezoso.
Parfait perfecto.
Parfum perfume.
Pari apuesta.
Parier apostar.
Parking parking,
  estacionamiento.
Parlement parlamento.
Parler hablar.
Parmi entre.
Parrain padrino.
Part parte.
Partager compartir.
Parti partido.
Partie partido.
Partir irse.
Partout por (en) todas partes.
Pas paso.
Pas *(nég.)* ne se traduit pas.
Passage paso.
— **à niveau** paso a nivel.
Passager pasajero.
Passé pasado.
Passeport pasaporte.
Passer pasar.
Passe-temps pasatiempo.
Passionnant apasionante.

Pasteur pastor.
Pastille pastilla.
Pâté paté.
Patient paciente.
Patienter esperar.
Patinage patinaje.
Pâtisserie pastelería.
Patrie patria.
Patron patrón.
Paupière párpado.
Pause pausa.
Pauvre pobre.
Payable pagadero.
Payer pagar.
Pays país.
Pays-Bas Países Bajos
(Holanda).
Paysage paisaje.
Paysan campesino.
Péage peaje.
Peau piel.
Pêche *(fruit)* melocotón,
(*AmL* : durazno).
— *(sport)* pesca.
Pêcher pescar.
Pêcheur pescador.
Pédicure pedicuro.
Peigne peine, peineta.
Peindre pintar.
Peine pena, dificultad,
(**A peine :** apenas).
Peintre pintor.
Peinture pintura.
Pelle pala.
Pellicule *(film)* película.
— *(cheveux)* caspa.
Pelote pelota.
Pendant durante.
Penderie ropero.
Pendule reloj.
Penser pensar.
Pension pensión.
Pente bajada.

Pentecôte Pentecostés.
Pépin pepita.
Percolateur percolador.
Perdre perder.
Père padre.
Périmé caducado,
(*AmL* : vencido).
Période período.
Périphérie periferie.
Perle perla.
Permanent permanente.
Permettre permitir.
Permission permiso,
autorización.
Pérou Perú.
Personne persona.
Personne *(nég.)* nadie.
Personnel personal.
Persuader convencer.
Perte pérdida.
Peser pesar.
Petit pequeño, chico.
Petit déjeuner desayuno.
Petits-enfants nietos.
Petit(e)-fils (fille) nieto(a).
Petit pain panecillo, pancito.
Peu poco.
Peuple pueblo.
Peur miedo.
Peut-être quizás.
Pharmacie farmacia.
Photo foto.
Photocopie fotocopia.
Photocopier fotocopiar.
Photographe fotógrafo.
Photographie fotografía.
— **en couleur** fotografía en
colores.
— **en noir et blanc** fotografía
en blanco y negro.
Photographier sacar una foto.
Phrase frase.
Pickpocket ratero.

Pièce *(de monnaie)* moneda.
— *(de rechange)* repuesto.
— *(de théâtre)* obra.
— *(unité)* pieza.
Pied pie.
Piège trampa.
Pierre piedra.
Piéton peatón.
Pigeon palomo.
Pile pila.
Pilote piloto.
Pilule píldora.
Pin pino.
Pinces *(à épiler)* pinzas de
depilar.
— *(outil)* alicate.
— *(à linge)* pinzas para la
ropa.
Pinceau pincel.
Pipe pipa.
Piquant picante.
Piquer picar.
Piqûre picadura.
— *(méd.)* inyección.
Pire peor.
Piscine piscina.
Piste pista.
Pitié piedad.
Pittoresque pintoresco.
Placard armario.
Place *(ville)* plaza.
— *(spect.)* localidad,
entrada.
Plafond techo, cielo.
Plage playa.
Plaindre (se) quejarse.
Plaine llanura, llano.
Plainte queja, denuncia.
Plaire gustar.
Plaisanterie broma.
Plaisir placer.
Plan plano.
Plancher piso.

Plante planta.
Plat *(nom)* plato.
— *(adj.)* plano, liso.
Plateau bandeja.
Platine *(métal)* platino.
— *(tourne-disque)* tocadiscos.
Plein lleno.
Pleurer llorar.
Pleuvoir llover.
Pliant plegable.
Plier doblar, plegar.
Plomb plomo.
Plombage *(dent)* empaste,
(*AmL :* tapadura).
Plonger zambullirse.
Pluie lluvia.
Plume pluma.
Plus más.
(**Plus ou moins :** más o
menos).
Plusieurs varios.
Plutôt más bien.
Pneu neumático.
Pneumonie neumonía.
Poche bolsillo.
Poêle *(chauffage)* estufa.
— *(cuisine)* sartén.
Poids peso.
Poignée puño, *(porte)* manilla.
Point punto.
Pointe punta.
Pointu puntiagudo.
Pointure número.
Poire *(fruit)* pera.
Poison veneno.
Poisson pez, pescado.
Poissonnier pescadero.
Poitrine pecho.
Poivron pimiento morrón.
Poli educado.
Police policía.
Politesse urbanidad,
cortesía.

Politique política.
Pommade pomada.
Pomme manzana.
Pompe bomba.
Pompier bombero.
Pont puente.
Populaire popular.
Population población.
Porc cerdo.
Porcelaine porcelana.
Port puerto.
Portail pórtico.
Portatif portátil.
Porte puerta.
Porte-clef llavero.
Porte-documents
   portadocumentos.
Portefeuille cartera,
   (*AmL* : billetera).
Portemanteau percha.
Porte-monnaie monedero.
Porter llevar.
Porteur mozo,
(*AmL* : maletero).
Portier portero.
Portion porción.
Portrait retrato.
Poser colocar, poner.
Position posición.
Posséder poseer.
Possession posesión.
Possibilité posibilidad.
Possible posible.
Poste (*emploi*) puesto.
— (*P.T.T.*) Correos.
— (*de radio*) radio.
Pot jarro.
Potable potable.
Potage sopa.
Poteau poste.
Poterie alfarería,
   (*AmL* : cerámica).
Poubelle basurero.

Pouce (*mesure*) pulgada.
— (*doigt*) pulgar.
Poudre polvo.
Poulet pollo.
Poupée muñeca.
Pour para,
   (**Pour moi :** para mí).
   (**Pour cent :** por ciento).
Pourboire propina.
Pourcentage porcentaje.
Pourquoi porqué.
Pourri podrido.
Pourrir podrir.
Pourtant sin embargo.
Pousser empujar.
Poussière polvo.
Pouvoir poder.
Pratique (*nom*) práctica.
— (*adj.*) práctico.
Pratiquer practicar.
Pré pradera, prado.
Précaution precaución.
Précieux precioso.
Précision precisión.
Préférence preferencia.
Préférer preferir.
Premier primero.
Premiers secours primeros
   auxilios.
Prendre tomar.
Prénom nombre.
Préoccupé preocupado.
Préparé preparado.
Préparer (se) prepararse.
Près de cerca de.
Présenter presentar.
Préservatif preservativo.
Presque casi.
Pressé apresurado.
Presser (se) darse prisa,
   apresurarse.
Prêt listo.
Prêter prestar.

Prétexte pretexto.
Prêtre sacerdote.
Preuve prueba.
Prévenir prevenir.
Prévu previsto.
Prier rogar.
Prière oración.
Prince príncipe.
Princesse princesa.
Principal principal.
Principalement principalmente.
Printemps primavera.
Prison cárcel.
Privé privado.
Prix precio.
Probabilité probabilidad.
Probable probable.
Problème problema.
Prochain próximo.
Prochainement próximamente.
Proche cercano.
Procuration poder.
Procurer procurar.
Produire producir.
Produit producto.
Professeur profesor.
Profession profesión.
Profond profundo.
Programme programa.
Progrès progreso.
Projet proyecto.
Projeter proyectar.
Prolonger prolongar.
Promenade paseo, vuelta.
Promesse promesa.
Promettre prometer.
Promotion promoción.
Promptitude prontitud.
Prononcer pronunciar.
Prononciation pronunciación.
Pronostiquer pronosticar.
Propos (à) a propósito.
Proposer proponer.

Proposition proposición.
Propre propio, *(net)* limpio.
Propriétaire propietario, dueño.
Propriété propiedad.
Prospectus prospecto, folleto.
Prostituée prostituta.
Protection protección.
Protestant protestante.
Prouver probar.
Provisions provisiones.
Provisoire provisorio.
Proximité cercanía.
Prudent prudente.
Public público.
Publicité publicidad.
Puce pulga.
Puis luego, después.
Puissant poderoso.
Puits pozo.
Punaise chinche.
Pur puro.
Pus pus.
Pyrénées Pirineos.

Q

Quai *(port)* muelle.
— *(gare)* andén.
Qualifié calificado.
Qualité calidad.
Quand cuándo.
Quantité cantidad.
Quart cuarto.
Quartier barrio.
Que que.
Quel, quelle cuál.
Quels, quelles cuáles.
Quelque chose algo.
Quelque part en alguna parte.
Quelquefois a veces.
Quelques algunos(as).
Quelqu'un alguien.

Querelle querella.
Qu'est-ce que qué.
Question cuestión.
— *(interro.)* pregunta.
Queue cola.
Qui quién.
Quiconque cualquiera.
Quincaillerie ferretería.
Quinine quinina.
Quittance recibo.
Quitter dejar, abandonar.
Quoi qué.
Quoique aunque.
Quotidien cotidiano.

R

Rabbin rabino.
Raccommoder remendar, zurcir.
Raccourcir acortar.
Raconter contar.
Radiateur radiador.
Radio radio.
Radiographie radiografía.
Rafraîchissement refresco.
Rage rabia.
Raide tieso.
Raisin uva.
Raison razón.
Raisonnable razonable.
Ramer remar.
Rang fila.
Rapide rápido.
Rappeler recordar.
Raquette raqueta.
Rare escaso.
Raser (se) afeitarse.
Rasoir máquina de afeitar.
Rat rata.
Ravi encantado.
Ravissant encantador.

Rayon *(magasin)* sección.
— *(soleil)* rayo.
Réalité realidad.
Récemment recientemente, hace poco.
Récépissé recibo.
Réception recepción.
Receveur cobrador.
Recevoir recibir.
Rechange recambio, repuesto.
Recharge carga, repuesto.
Recharger cargar.
Réchaud cocinilla.
Recherche búsqueda.
— *(scient.)* investigación.
Récipient recipiente.
Réclamer reclamar.
Recommandé *(lettre)* certificado.
Recommander recomendar.
Récompense recompensa.
Récompenser recompensar.
Reconnaissance reconocimiento, agradecimiento.
Reconnaître reconocer.
Rectangulaire rectangular.
Reçu recibo.
Recueillir recoger.
Réduction reducción.
— *(prix)* rebaja.
Réel real.
Référer (se) referirse.
Refuser rechazar.
Regard mirada.
Regarder mirar.
Régime régimen.
Région región.
Règle regla.
Règlement reglamento.
— *(paiement)* pago.
Régler pagar.
Regret pesar.

Regretter sentir.
Régulier regular.
Régulièrement regularmente.
Reine reina.
Réjouir (se) alegrarse.
Relation relación.
Relier unir.
Religieuse religiosa.
Religion religión.
Remboursement reembolso.
Rembourser reembolsar.
Remède remedio.
Remerciement agradecimiento.
Remercier agradecer.
Remise entrega.
Remorquer remolcar.
Remplacer reemplazar.
Remplir llenar.
Remuer mover.
Rencontrer encontrar.
Rendez-vous cita.
Rendre devolver.
Renseignement información, dato.
Renseigner (se) informarse, preguntar.
Réparation reparación, arreglo.
Réparer arreglar.
Répartition repartición.
Repas comida.
Repasser *(le linge)* planchar.
Répéter repetir.
Répondre contestar.
Réponse respuesta.
Repos descanso.
Reposer (se) descansar.
Représentation representación.
Réservation reserva.
Réserver reservar.
Résoudre resolver.
Respecter respetar.
Respirer respirar.

Responsable responsable.
Restaurant restaurante, restorán.
Rester quedarse.
Résultat resultado.
Retard retraso, atraso.
Retarder atrasar, retrasar.
Retenir retener.
Retour regreso, vuelta.
Retourner regresar, volver.
Rêve sueño.
Réveil despertador.
Réveiller despertar.
Revenir volver.
Réviser revisar.
Revoir volver a ver.
Rez-de-chaussée planta baja.
Rhumatisme reumatismo.
Rhume resfriado, constipado.
Riche rico.
Richesse riqueza.
Rideau cortina.
Rien nada.
Rire reír.
Rivière río.
Riz arroz.
Robe vestido.
Robinet grifo.
Rocher roca.
Roi rey.
Rond redondo.
Rond-point rotonda.
Rose rosa.
Rôti asado.
Rôtir asar.
Roue rueda.
Rouge rojo.
Rouler rodar.
Route carretera, camino.
Royal real.
Rue calle.
Ruelle callejuela.
Ruisseau arroyo.

Rumeur rumor.
Rupture ruptura.
Rusé astuto.
Russe ruso.
Russie Rusia.
Rustique rústico.
Rythme ritmo.

S

Sable arena.
Sabre sable.
Sac bolso.
Sachet bolsa, bolsita.
Saignant jugoso.
Saigner sangrar.
Saint santo.
Saisir agarrar.
Saison *(géo.)* estación.
— *(spect.)* temporada.
Salade ensalada.
Sale sucio.
Saleté suciedad.
Salle sala.
— *(à manger)* comedor.
— *(d'attente)* sala de
   espera.
— *(de bain)* cuarto de baño.
Salon salón.
Saluer saludar.
Salut ! *(bonjour)* ¡ hola !
— *(au revoir)* ¡ adiós !
Samedi sábado.
Sandwich bocadillo,
   (*AmL :* sandwich).
Sang sangre.
Sans sin.
Santé salud.
Satisfait satisfecho.
Sauf salvo.
Sauter saltar.
Sauvage salvaje.

Sauver salvar.
Sauvetage salvamento.
Savoir saber.
Savon jabón.
Sec seco.
Sécher secar.
Seconde segundo.
Secouer sacudir.
Secourir socorrer.
Secours socorro.
Secret secreto.
Secrétaire secretaria.
Sécurité seguridad.
Séjour estancia.
Séjourner pasar unos días,
   quedarse.
Sel sal.
Selon según.
Semaine semana.
Semelle suela.
Sens sentido.
Sentier sendero.
Sentiment sentimiento.
Sentir sentir.
Séparer separar.
Septembre septiembre.
Sermon sermón.
Serpent serpiente.
Serré apretado.
Serrure cerradura.
Serveur mozo, camarero.
Service servicio.
Serviette *(de toilette)* toalla.
— *(de table)* servilleta.
Servir servir.
Seul solo.
Seulement solamente.
Sexe sexo.
Si si.
Siècle siglo.
Siège asiento.
Signal señal.
Signaler señalar.

Signature firma.
Signe signo.
Signer firmar.
Signification significación.
Signifier significar.
Silence silencio.
Silencieux silencioso.
Simple simple.
Sincère sincero.
Sinon si no.
Site sitio, lugar.
Situation situación.
Skier esquiar.
Slip calzoncillo.
Sobre sobrio.
Sœur hermana.
Soie seda.
Soif sed.
Soigner cuidar.
Soin cuidado.
Soir tarde, noche.
Soirée noche, velada.
Sol suelo.
Soldat soldado.
Soldes saldos, liquidación.
Soleil sol.
Solennel solemne.
Solide sólido.
Sombre sombrío, obscuro.
Somme suma.
Sommeil sueño.
Sommet cumbre.
Somnifère somnífero.
Son, sa, ses su, sus.
Son *(bruit)* sonido.
Sonnette timbre.
Sorte tipo.
Sortie salida.
Sortir salir.
Souci preocupación.
Soucieux preocupado.
Soudain de repente.
Souffle soplo, aliento.

Souffrir sufrir.
Soulever levantar.
Soupe sopa.
Souper *(verbe)* cenar.
— *(nom)* cena.
Sourd sordo.
Souris ratón.
Sous bajo.
Sous-vêtements ropa interior.
Soutien sostén.
Souvenir recuerdo, souvenir.
Souvent a menudo.
Spécial especial.
Spectacle espectáculo.
Spectateur espectador.
Spirituel espiritual.
Splendide espléndido.
Sport deporte.
Stade estadio.
Station *(thermale)* balneario.
— **-service** gasolinera.
Stationnement estacionamiento.
Stationner estacionar, aparcar.
Stop stop.
Stupide estúpido.
Succès éxito.
Succursale sucursal.
Sucre azúcar.
Sucré azucarado.
Sud sur.
— **-est** sureste.
— **-ouest** suroeste.
Suffire bastar.
    (**Ça suffit !** ¡ basta !)
Suisse Suiza.
Suisse suizo.
Suite continuación.
Suivant siguiente.
Suivre seguir.
Sujet sujeto.
Superflu superfluo.
Supplément suplemento.

Supporter soportar.
Supposer suponer.
Supposition suposición.
Suppression supresión.
Sur sobre.
Sûr seguro.
Surcharge sobrecarga.
Sûrement seguramente.
Surpris sorprendido.
Surtaxe recargo.
Surveillant vigilante.
Suspendre colgar, suspender.
Suspendu colgado,
  suspendido.

T

Tabac *(magasin)* estanco.
— *(plante)* tabaco.
Table mesa.
Tableau cuadro.
Tabou tabú.
Tabouret taburete.
Tache mancha.
Taché manchado.
Taille talla.
Tailleur *(vêt.)* traje.
— *(pers.)* sastre.
Taire (se) callarse.
Talon tacón.
Tampon *(hygiénique)* tampón.
Tant que mientras.
Tante tía.
Tard tarde.
Tarif tarifa.
Tasse taza.
Taureau toro.
Taux de change tipo de
  cambio.
Taxe impuesto.
Taxi taxi.

Teinte tinte.
Teinture tintura.
Teinturerie tintorería.
Tel tal.
Télégramme telegrama.
Télégraphier telegrafiar.
Téléphone teléfono.
Téléphoner llamar por
  teléfono.
Télévision televisión.
Témoignage testimonio.
Témoin testigo.
Température temperatura.
Tempête tempestad.
Temps tiempo.
Tendre *(adj.)* tierno.
— *(verbe)* tender.
Tenir sujetar, mantener.
Tension tensión.
Tente tienda, *(AmL : carpa).*
Terminer terminar, acabar.
Terminus terminal.
Terrain terreno, campo.
Terre tierra.
Terrible terrible.
Tête cabeza.
Thé té.
Thermomètre termómetro.
Timbre sello,
  (AmL : estampilla).
Timide tímido.
Tir tiro.
Tire-bouchon sacacorchos.
Tirer tirar, jalar.
Tiroir cajón.
Tissu tela.
Toi tú.
Toile tela.
Toilettes servicios, toilettes,
  (AmL : baño, vecé, wáter).
Toit techo.
Tomate tomate,
  (Mex : jitomate).

Tomber caerse.
Ton, ta, tes tu, tus.
Tonne tonelada.
Torchon paño, trapo.
Tôt temprano.
Total total.
Toucher tocar.
Toujours siempre.
Tour *(tournée)* vuelta.
— *(bât.)* torre.
Tourisme turismo.
Touriste turista.
Tourner dar vueltas.
Tout, toute, tous, toutes todo, toda, todos, todas.
Tout de suite inmediatamente.
Toux tos.
Toxique tóxico.
Trace huella.
Traditionnel tradicional.
Traduction traducción.
Traduire traducir.
Train tren.
Traitement tratamiento.
Trajet trayecto.
Tramway tranvía.
Tranche rebanada, tajada, rodaja.
Tranquille tranquilo.
Tranquillisant tranquilizante.
Transférer trasladar.
Transformateur transformador.
Transit tránsito.
Transmission transmisión.
Transparent transparente.
Transpirer transpirar.
Transporter transportar.
Travail trabajo.
Travailler trabajar.
Travers *(à)* a través.
Traversée travesía.
Trempé mojado, calado.
Très muy.

Triangle triángulo.
Tribunal tribunal.
Troisième tercero.
Tromper (se) equivocarse.
Trop demasiado.
Trottoir acera, *(AmL : vereda)*.
Trousse *(premiers secours)* botiquín.
— (de toilette) neceser.
Trouver encontrar.
Tu tú.
Tuer matar.
Tumeur tumor.
Tympan tímpano.

U

Ulcère úlcera.
Un, une un, una.
Uniforme uniforme.
Unique único.
Urgence urgencia.
Urgent urgente.
Urine orina.
Usage uso, empleo.
Usine fábrica.
Ustensile utensilio.
Usuel usual.
Utile útil.
Utiliser usar, utilizar.

V

Vacances vacaciones.
Vaccin vacuna.
Vaccination vacunación.
Vache vaca.
Vague *(nom)* ola.
— *(adj.)* vago.
Vaisselle vajilla.
Valable válido.

Valeur valor.
Valide válido.
Validité validez.
Valise maleta.
Vallée valle.
Valoir valer, costar.
Vapeur vapor.
Varié variado.
Variété variedad.
Vaseline vaselina.
Veau ternero.
Végétarien vegetariano.
Véhicule vehículo.
Velours terciopelo.
Vendeur vendedor.
Vendre vender.
Vendredi viernes.
Vendu vendido.
Venir venir.
Vent viento.
Vente venta.
Ventilateur ventilador.
Ventre vientre.
Verglas hielo.
Vérifier verificar, comprobar.
Vérité verdad.
Verre vidrio.
— *(pour boire)* vaso.
Verrou cerrojo.
Vers hacia.
Vert verde.
Vestiaire guardarropa.
Vêtements ropa.
Veuf, veuve viudo(a).
Vexé ofendido.
Viande carne.
Vide vacío.
Vider vaciar.
Vieux viejo.
Vignoble viñedo.
Vigoureux vigoroso.
Villa chalé.
Village pueblo.

Ville ciudad.
Vin vino.
— **blanc** blanco.
— **rouge** tinto.
— **rosé** rosado.
Vinaigre vinagre.
Virement transferencia,
    (*AmL :* giro).
Virer girar.
Vis tornillo.
Visa visado, (*AmL :* visa).
Visage rostro, cara.
Visibilité visibilidad.
Visible visible.
Visite visita.
Vite rápidamente,
    de prisa.
Vitesse velocidad,
    rapidez.
Vitre cristal, vidrio.
Vitrine escaparate,
    (*AmL :* vitrina).
Vivant vivo.
Vivre vivir.
Voie vía.
Voir ver.
Voisin vecino.
Voiture coche,
    (*AmL :* carro, auto).
Voix voz.
Vol *(avion)* vuelo.
— *(dérober)* robo.
Voler robar.
Voleur ladrón.
Volonté voluntad.
Volontiers con mucho gusto.
Vomir vomitar.
Voter votar.
Votre, vos su, sus, vuestro(a,
    os, as).
Vous usted, ustedes,
    vosotros.
Voyage viaje.

Voyager viajar.
Voyageur viajero.
Vrai verdadero.
Vraiment verdaderamente, realmente.
Vue vista.
Vulgaire vulgar.
Vulnérable vulnerable.

W - Z

Wagon-lit coche cama.
— **-restaurant** coche restaurante, (*AmL* : coche comedor).
Zéro cero.
Zone zona.

INDEX

L'espagnol dans Le Livre de Poche

Grammaire active de l'espagnol, E. Pastor, G. Prost.

L'Espagnol d'aujourd'hui en 90 leçons,
J. Gracia, M. Jiménez.
(Livre - Version sonore : livre + 5 cassettes.)

Perfectionnement

La Pratique courante de l'espagnol,
J. Gracia Barrón, M. Jiménez.
(Livre - Version sonore : livre + 2 cassettes.)

L'Espagnol des affaires, E. Jiménez, E. Pastor, I. Tapia.
(Livre - Version sonore : livre + 2 cassettes.)

Composition réalisée par C.M.L., Montrouge.

Imprimé en France sur Presse Offset par

BRODARD & TAUPIN

GROUPE CPI

La Flèche (Sarthe).
N° d'imprimeur : 4794 – Dépôt légal Édit. 7655-12/2000
LIBRAIRIE GÉNÉRALE FRANÇAISE - 43, quai de Grenelle - 75015 Paris.
ISBN : 2 - 253 - 04454 - 7